CW00673882

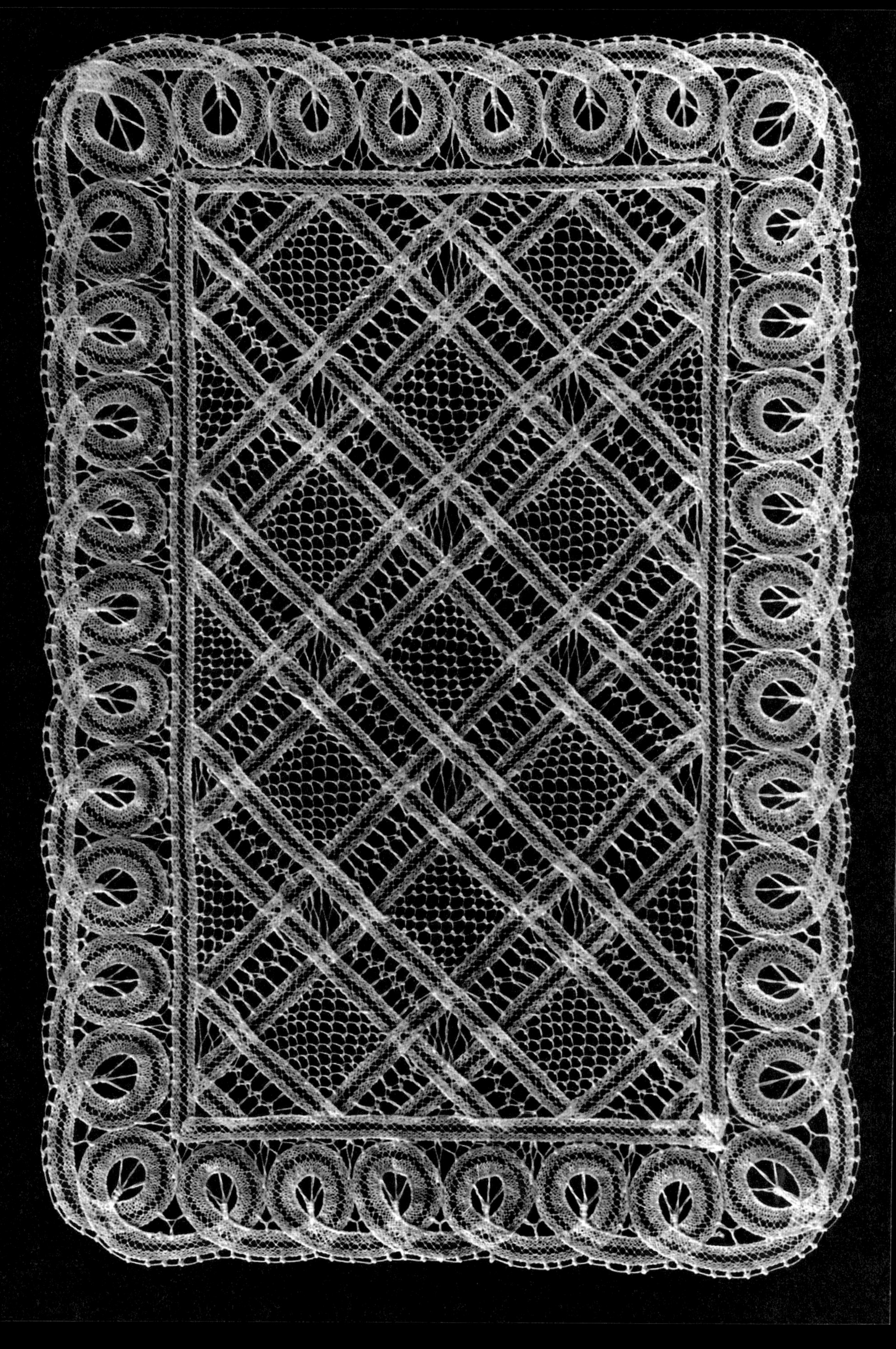

The Technique of Tape Lace

Ineke van den Kieboom
and Anny Huijben

B.T. Batsford Ltd · London

First published 1994

Typeset by Graphicraft Typesetters Ltd, Hong Kong

and printed in Great Britain by
The Bath Press, Bath

Published by
B.T. Batsford Ltd
4 Fitzhardinge Street
London W1H 0AH

A catalogue record for this book is available from the British Library

ISBN 0 7134 6991 9

Acknowledgements

The authors wish to thank T. de Klerk for permission to photograph the lace shown on pp. 17–19, D. Brand p. 21, B. Rademakers p. 82 and A. Begeer for the lace on p. 30, which was photographed by A. van Reen.

Contents

Foreword

In 1988 the authors wrote in the introduction to their book *Naaldkant* ('Needlepoint Lace'): 'Needlework is a wonderful pastime.' In the following years they carried out intensive research into traditional needlework techniques and discovered a wealth of new applications for tape lace, which have resulted in this book. Intended to appeal to a wide range of lacemakers and needlework enthusiasts, it contains an unsurpassed collection of new ideas for tape lace.

In past centuries, needlework techniques were used to decorate clothing as well as household and church linen. In periods of prosperity many people earned a modest income in this way, but the situation could change dramatically in times of war or economic depression. We are fortunate to live in an era when it is possible to combine a profession with housekeeping and have enough spare time left for handicrafts.

No doubt this new book, with its multi-lingual text, will enable many people to improve their knowledge of needlelace and discover a world of new possibilities in terms of materials, techniques and designs.

I'd like to thank the authors for their work, and I hope that lacemakers will enjoy using *The Technique of Tape Lace*.

Toos de Klerk (President, Kantsalet)
February 1992

Avant-propos

En 1988 les auteurs l'écrivirent dans l'introduction de leur livre *Naaldkant* ('La Dentelle à l'aiguille') : 'Le travail à l'aiguille est une merveilleuse occupation'. Depuis lors elles ont fait de persévérantes recherches sur un nombre étonnant de techniques traditionnelles dans le domaine des travaux à l'aiguille. C'est ainsi qu'elles découvrirent une richesse inouïe en moyens d'application pour la dentelle au lacet, qu'elles présentent dans cette nouvelle édition. Vous y trouverez un nombre inconcevable de nouvelles possibilités recueillies par les deux auteurs à l'intention d'une vaste audience intéressée tant aux dentelles qu'aux différents ouvrages à l'aiguille.

Au cours des siècles ces techniques ont été appliquées dans la réalisation d'ouvrages à l'aiguille pour l'ornement de vêtements et la décoration des intérieurs d'église et des maisons. Dans les périodes de prospérité ces travaux procurèrent de modestes revenus à de nombreux ménages, revenus incertains qui disparurent bien vite en temps de guerre ou de déclin économique. Nous sommes bien fortunées de vivre à une époque où en dehors de l'emploi et de la gestion du ménage il nous reste suffisamment de temps libre que nous pouvons consacrer agréablement aux ouvrages à l'aiguille.

Par sa conception multilingue ce livre permettra sans doute à beaucoup de dentellières d'acquérir de nouvelles connaissances techniques en matière de l'ouvrage à l'aguille et ouvrira de nouveaux horizons vers une application individuelle de matériaux, de techniques et de créations contemporaines.

Tout en remerciant vivement les auteurs, je souhaite que *La Technique de la Dentelle au Lacet* puisse inspirer de nombreuses dentellières.

Toos de Klerk (Présidente du Kantsalet)
février 1992

Vorwort

Im Jahre 1988 schrieben es die Verfasserinnen wie folgt in der Einleitung ihres Buches *Naaldkant* ('Nadelspitze'): 'Das Handarbeiten ist eine wunderbare Tätigkeit'. Seitdem forschten sie mehrere Jahre hindurch sehr intensiv nach uralten Handarbeitstechniken und entdeckten dabei einen neuen Schatz von Anwendungsmöglichkeiten für Bändchenspitze. Aus ihrer Sammlung entstand diese Ausgabe mit einer ungekannten Fülle neuer Angaben, einem weiten Kreise von Handarbeitern zugedacht.

Jahrhundertelang wurden Handarbeitstechniken zum Ausschmücken von Kleidung, Kircheninterieuren und Wohnräumen angewandt. In Zeiten grossen Wohlstandes verdienten viele auf diese Weise ein bescheidenes Einkommen, das jedoch in Kriegszeiten und Wirtschaftskrisen rasch wieder zerfiel. Wir dürfen uns glücklich schätzen in einer Zeit zu leben, in der man neben dem Arbeitskreis und dem Haushalt genügend Freizeit findet um sich herrlich mit Handarbeiten beschäftigen zu können.

Ich bin davon überzeugt, dass dieses Buch mit seinem vielsprachigen Konzept manche durch den Erwerb von neuen Kenntnissen in eine unbegrenzte Welt des handarbeitlichen 'Experimentierens' führen kann und neue Horizonte zu einer persönlichen Verarbeitung von Materialien, Techniken sowie zeitgenössischen Entwürfen eröffnen wird.

Mein Dank an die Verfasserinnen, in der Hoffnung, dass viele Spitzennäherinnen in dieser *Technik der Bändchenspitze* eine Inspirationsquelle finden.

Toos de Klerk (Vorsitzende des Kantsalet)
Februar 1992

Introduction

Some things are meant to be! Unaware of each other, we lived for many years not only in the same village, but in the same street. Then, one day, our paths crossed due to our common interest . . . lace.

We both started off making bobbin lace but soon changed to needlelace, with which we have since become deeply involved. Our interest in tape lace came about by chance. In the Boymans van Beuningen Museum in Rotterdam we looked at some seventeenth-century pieces so beautiful and well made that they could undoubtedly compete with bobbin lace and needlepoint lace from that period. We then studied the revival of tape lace, which occurred between 1840 and 1940. During this time, the craft was enjoyed by tens of thousands of women, professionals and amateurs alike. We were puzzled! How could it be that nowadays tape lace is spoken of only with contempt, whereas in the past it was so well made and so immensely popular? Our curiosity was aroused and we decided to do some more research on the subject. We travelled throughout Europe, Brazil and South-East Asia, met many people, studied lots of old books and paintings, as well as the lace itself, and returned home with an intriguing story.

In B.T. Batsford Ltd we found an understanding publisher, who made a wide readership available to us by their request for a manuscript in three languages, which certainly added to the challenge.

In some instances we had to restrict ourselves for practical reasons. For example, you will find no mention of the various threads used, as makes and types differ from country to country.

In Part Three of the book we deal with making tape lace using alternative base materials. This is to show those who practise another favourite needlecraft, but have always wanted to make a piece of lace, how easily this can be done. In order not to repeat ourselves we sometimes refer the reader back to other chapters.

Without the kind assistance of the staff of museums, libraries and other institutions in various countries, who provided information on tape lace, this book would never have been completed.
We should also like to express our thanks to all those who helped with the translation and wordprocessing, in particular Edith Spee-Van Oost, who took care of a part of the French and German translations and whose tireless proofreading helped the book reach its final form.

We really hope that you will have a go at making tape lace and we are certain that you will enjoy it as much as your ancestors did in times gone by.

Ineke van den Kieboom and Anny Huijben
Molenschot, Netherlands
Spring 1992

Introduction

Les caprices du hasard ne s'expliquent pas! Nous en avons fait l'expérience. Sans en avoir conscience, nous avons vécu pendant des années, non seulement dans le même village, mais encore dans la même rue. Puis un jour nos chemins se sont croisés grâce à notre intérêt commun . . . la dentelle.

Toutes les deux nous avons d'abord appris à faire de la dentelle aux fuseaux, mais avons bien vite appliqué notre attention à la dentelle à l'aiguille, que nous avons étudiée profondément depuis. C'est à nouveau le hasard qui a éveillé notre intérêt pour la dentelle au lacet. En voyant quelques ouvrages du XVIIe siècle au musée Boymans van Beuningen à Rotterdam, nous avons été surprises par leur beauté et leur élégance, qui valaient sans aucun doute celles des dentelles aux fuseaux et à l'aiguille de cette époque. Nous nous sommes mises à étudier la renaissance de la dentelle au lacet qui s'est produite entre 1840 et 1940. Pendant toute cette période ce type de dentelle a procuré énormément de satisfaction à des dizaines de milliers de dentellières, à la fois professionnelles et amateurs. Nous étions stupéfaites! Comment était-il possible que cette dentelle soit tant méprisée de nos jours, alors qu'elle avait été si raffinée et si infiniment populaire dans le passé? Le sujet ayant excité notre curiosité, il fallait évidemment l'approfondir davantage. Nous avons parcouru l'Europe, le Brésil et l'Asie du Sud-Est, avons rencontré beaucoup de personnes, etudié des quantités de dentelles au lacet, des livres d'histoire et des peintures et nous en sommes revenues les bagages remplis d'histoires fascinantes.

B.T. Batsford s'est montré un éditeur bienveillant; il nous a prié de présenter un manuscrit trilingue, nous permettant ainsi d'atteindre une plus large audience, une offre qui nous a paru bien séduisante.

Des raisons d'ordre pratique nous ont empeché d'approfondir certaines matières. Vous ne trouverez aucune indication p.ex. quant aux genres de fils à utiliser, pour la bonne raison que les marques et les épaisseurs diffèrent de pays en pays.

La troisième partie de ce livre traite de la confection de dentelles au lacet à l'aide de matériaux de base alternatifs. Nous avons ainsi voulu illustrer les possibilités de créer une dentelle en partant d'autres genres de travaux à l'aiguille. A notre regret, nous avons parfois dû renvoyer à d'autres chapitres, ceci afin de ne pas devoir nous répéter.

Ajoutons que, sans la bienveillante assistance du personnel des musées, bibliothèques et autres institutions à travers le monde, de même que sans l'assistance en matière de traduction et de traitement de texte, ce livre n'aurait jamais pu être réalisé. Nous adressons notre profonde reconnaissance à Mme. Edith Spee-Van Oost pour son assistance dans les traductions françaises et allemandes et la correction des épreuves.

Nous sommes persuadées que vous pourrez maintenant entamer sans difficulté un ouvrage en dentelle au lacet et que vous y prendrez autant de plaisir que vos ancêtres jadis.

Ineke van den Kieboom et Anny Huijben
Molenschot, Pays-Bas,
Printemps 1992

Einleitung

Über den Zufall wird man nicht Herr! So haben wir es wenigstens erfahren. Unbekannt miteinander, lebten wir verschiedene Jahre nicht nur in demselben Dorf, sogar noch in derselben Strasse. Und dann, eines Tages, führte unser gemeinsames Interesse für die Spitze zur Begegnung.

Anfangs haben wir beide geklöppelt, aber seitdem wir auch die Nadelspitzen kennengelernt haben, sind wir überaus davon begeistert. So ist auch unser Interesse für Bändchenspitzen aus reinem Zufall entstanden. Im Museum Boymans van Beuningen in Rotterdam bewunderten wir einige sehr schöne Bändchenspitzen aus dem 17. Jh. Sie waren dermassen wohlgestaltet, dass sie zweifellos den Vergleich mit den Klöppel- und Nadelspitzen aus jener Zeit bestehen konnten. Wir studierten das Wiederaufleben der Bändchenspitze in der Periode zwischen 1840 und 1940, als zahllose Frauen, beruflich oder zum Zeitvertreib, viel Freude an ihrer Herstellung fanden. Wir waren sprachlos! Wie war es möglich, dass heutzutage die Bändchenspitze so geringschätzt wird, während die frühere Spitze derart kunstvoll gefertigt und so ausgesprochen beliebt war. Unsere Neugier war erregt, und wir entschlossen uns, nach diesem Thema weiterzuforschen. Wir sind durch Europa, Brasilien und Südost-Asien gereist, begegneten vielen Leuten, studierten unzählbare Bändchenspitzen, Geschichtsbücher und Gemälde und sind mit einer intrigierenden Geschichte heimgekehrt.

B.T. Batsford war für uns der verständnisvolle Verleger, der uns durch seine Bitte um ein dreisprachiges Manuskript, den grösstmöglichen Leserkreis in Aussicht stellte. Das war für uns eine noch grössere Anregung.

Bei einigen Themen mussten wir uns aus praktischen Gründen beschränken. Sie werden auch keine Angabe der geeigneten Fadensorten finden, weil in den verschiedenen Ländern die Marken und Nummern voneinander abweichen.

Im dritten Teil behandeln wir die Herstellung von Bändchenspitzen mit Hilfe sonstigen Basismaterials ausser dem Spezialband. Auf diesem Wege möchten wir auch den Liebhabern sonstiger Nadelarbeiten zeigen, wie einfach aus ihrer beliebten Handarbeit eine Bändchenspitze zu bilden ist. Gelegentlich sahen wir uns gezwungen, auf einen anderen Abschnitt zu verweisen, dies um unnötige Wiederholungen zu vermeiden.

Ohne das Verständnis und die Hilfsbereitschaft der Mitarbeiter von Museen, Bibliotheken und anderen Instituten in den verschiedenen Ländern, sowie die Hilfeleistung bei den Übersetzungen und der Datenverarbeitung, hätte dieses Buch nie verwirklicht werden können. Für das endgültige Resultat möchten wir besonders Edith Spee-Van Oost danken für ihre Hilfe bei den französischen und deutschen Übersetzungen und ihr unermüdliches Nachlesen.

Wir sind davon überzeugt, dass es Ihnen jetzt gelingen wird, eine Bändchenspitze herzustellen, und wir wünschen Ihnen dabei ebensoviel Freude, wie Ihre Vorgängerinnen damals daran gehabt haben.

Ineke van den Kieboom und Anny Huijben
Molenschot, die Niederlande
Frühling 1992

I
Tape Lace around the World

La Dentelle au lacet de par le monde
Bändchenspitze aus aller Welt

Princess lace, c. 1910
Dentelle Princesse
Prinzessinspitze

Origin and Development

Venetian Guipure lace* was the model for a type of lace made with tapes and needlepoint lace stitches that was developed in Naples and Milan during the late sixteenth and early seventeenth centuries. Originally, lacemaking was not a hobby but a means of earning a living, and needlelace accounted for two-thirds of all lace production. Couching† a needlelace pattern is quite time-consuming, and so tape was basted onto the pattern in order to speed up the working of the cordonnet. This could be done in two different ways. Either a straight piece of tape was shaped and basted on the pattern lines, or the tape was

* Guipure is not one particular type of lace. All laces having fixed parts connected with bars may be called by this name.

† To couch is to secure two threads on the pattern, using breakable thread.

Point de Milan, detail (see p. 18)

Origine et Développement

La dentelle composée de lacets et de points décoratifs à l'aiguille, qui s'est développée fin XVIe, début XVIIe siècle en Italie, peut être considérée comme un dérivé de la Guipure* de Venise. A l'époque, la fabrication de dentelles aux fuseaux et à l'aiguille constituait une source de revenus pour de nombreux ménages. La production se composait aux deux tiers de dentelles à l'aiguille et le traçage† de ces patrons prenait beaucoup de temps. En cherchant une alternative pour les fils de traçage on découvrit que l'ajustement d'un lacet sur les lignes du tracé était beaucoup plus rapide. Le lacet pouvait être couché sur le patron de deux manières différentes: soit une bande de lacet droite ou une soutache était ajustée et bâtie sur les lignes du patron,

* la Guipure n'est pas *un* type de dentelle bien défini. Chaque dentelle qui comprend des éléments fixes reliés entre eux par des brides, peut être appelée 'Guipure'.

† une mêche de 2 fils est posée sur les lignes du patron et arrêtée à l'aide d'un fil peu tordu.

Ursprung und Entwicklung

Die Spitze, hergestellt aus Band und Nadelspitzenstichen, entwickelte sich Ende des 16. und Anfang des 17. Jh. in Italien aus der Venezianer Gipüre.* Das Herstellen von Klöppel- und Nadelspitzen war zu jener Zeit eine Erwerbsquelle für viele Frauen. Die Produktion bestand zu zwei Dritteln aus Nadelspitzen. Das Trassieren† eines Nadelspitzenmusters ist sehr zeitraubend und auf der Suche nach einer schnelleren Arbeitsweise entdeckte man im Band einen guten Ersatz für die Trassierfäden. Es gab zwei Möglichkeiten zum Gestalten der Bändchen. Entweder wurde ein glattes Leinenbändchen bzw. eine Litze auf den Musterlinien modelliert und vorgeheftet, oder man klöppelte oder nähte ein Band unmittelbar gemäss den Musterlinien. Diese kombinierte Spitze

* Gipüre ist nicht *eine* bestimmte Spitzenart. Jede Spitze, die aus mit Stäbchen verbundenen Teilen besteht, kann als Gipüre bezeichnet werden.

† ein doppelter Faden wird mit einem Überfangstich aus schwachem Garn auf den Musterlinien festgenäht.

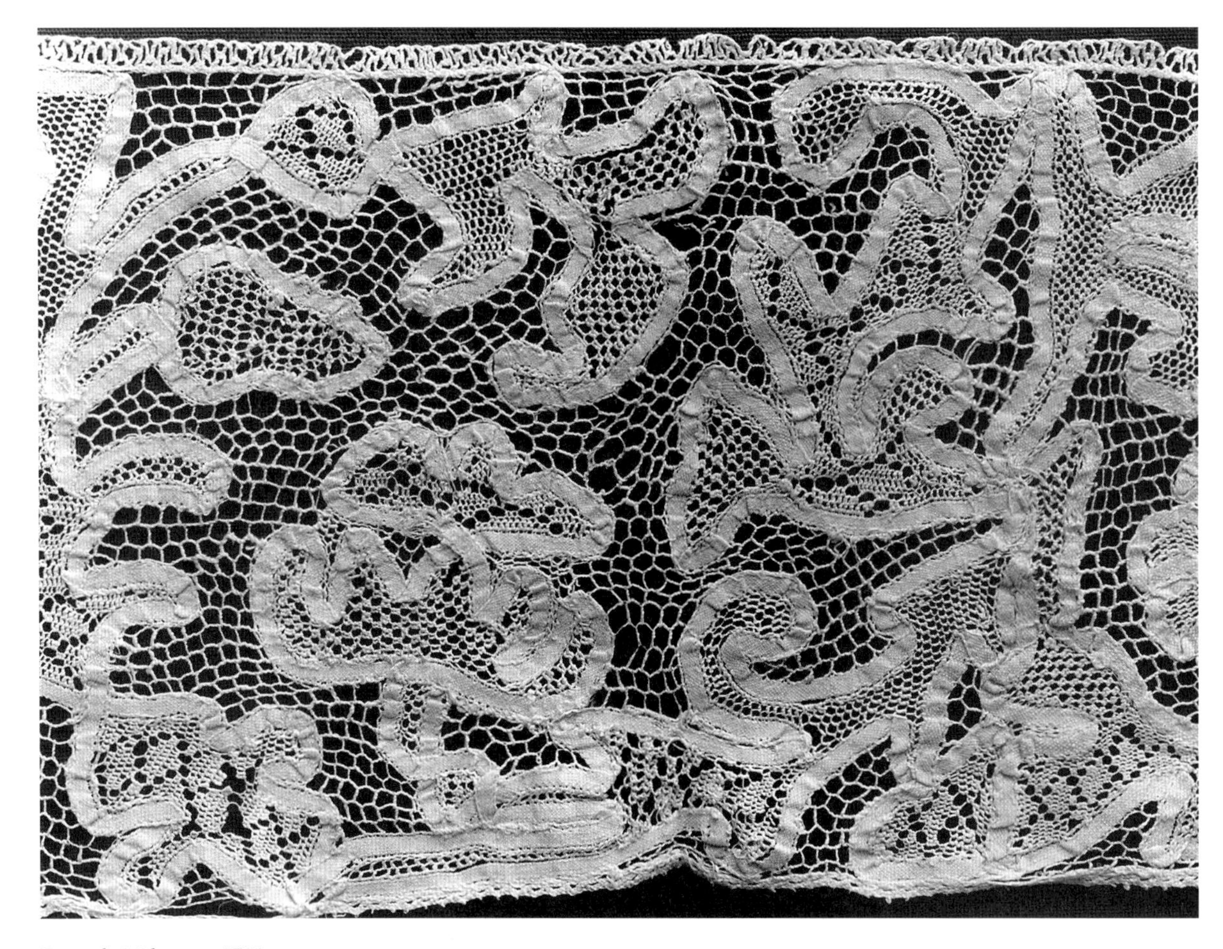

Point de Milan, c. 1700

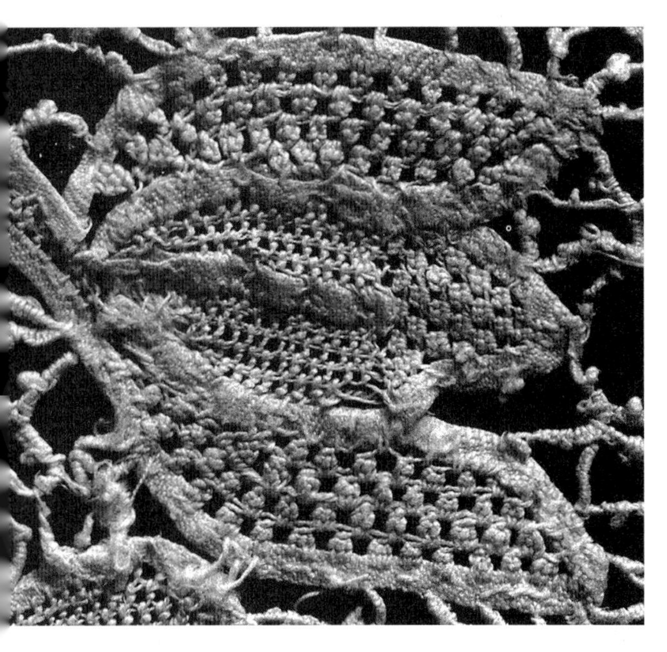

Mezzo Punto, detail (see p. 19)

worked directly onto the pattern using either the bobbin or needlelace technique. This combination lace was called 'half stitch' or *mezzo punto*. Its designs imitated those of needlelaces such as Gros Point de Venise and Rose Point de Venise.

Around 1840, tape lace, which had not been made since the seventeenth century, was rediscovered. The first Renaissance laces were perfect copies of original tape laces, which of course were already imitations in their own right. However, in some respects the new lace was quite different. First, the tape was machine- and not hand-made, and the lace was made as a pastime rather than for profit. The motifs and connecting lines of Renaissance lace were symmetrical and lacked the variations of seventeenth-century patterns. The new patterns were composed of as many pieces of tape as were required, whereas in *mezzo punto* the tape was laid without a break.

soit un lacet était confectionné aux fuseaux ou à l'aiguille suivant les formes du modèle. Cette dentelle combinée était appelée *mezzo punto* ou *point lacé*. Il s'agissait d'imitations du Venise à gros relief, du Venise à la rose et du Venise plat.

Vers 1840 la dentelle au lacet, qui n'avait plus été faite depuis le XVIIe siècle, fut redécouverte. Les premières dentelles Renaissance du XIXe siècle étaient au départ de parfaites copies des dentelles au lacet originales, qui elles-mêmes avaient déjà été des imitations. Il y avait pourtant plusieurs points de divergence entre la dentelle Renaissance et la dentelle au lacet du XVIIe siècle. Le lacet n'était plus confectionné à la main, mais à la machine et la dentelle au lacet était devenue une activité de loisir, plutôt qu'une occupation professionnelle. Dans la dentelle Renaissance les motifs et les raccords étaient symétriques et moins variés que dans les dentelles du XVIIe siècle. Le patron d'une dentelle Renaissance se composait d'autant de lacets que voulu, tandis que le *mezzo punto* avait été réalisé, dans la mesure du possible, à l'aide d'un seul lacet continu.

wurde *mezzo punto* (Halbstich) oder *point lacé* genannt. Es handelte sich um Imitationen der Venise au gros relief, der Venise à la rose und der Venise plat.

Um 1840 wurde die Bändchenspitze, die seit dem 17. Jh. nicht mehr angefertigt worden war, neuentdeckt. Die ersten Renaissancespitzen aus dem 19. Jh. waren nahezu vollkommene Nachbildungen der Originalspitzen aus dem 17. Jh., die ihrerseits bereits Imitationen waren. Die Renaissancespitze war der früheren Vorlage jedoch nicht ganz ähnlich. Das Band wurde nicht mehr handgemacht, sondern mechanisch hergestellt, und das Spitzennähen wurde vielmehr eine Freizeitbeschäftigung statt einer Berufstätigkeit. Die Motive und Verbindungslinien der Renaissancespitze waren symmetrisch und es mangelte an Variationen. Die Renaissancespitze wurde aus mehreren Bandstücken hergestellt, *mezzo punto* dagegen meistens nur aus einem Stück ohne Verbindungen.

Mezzo Punto, c. 1700

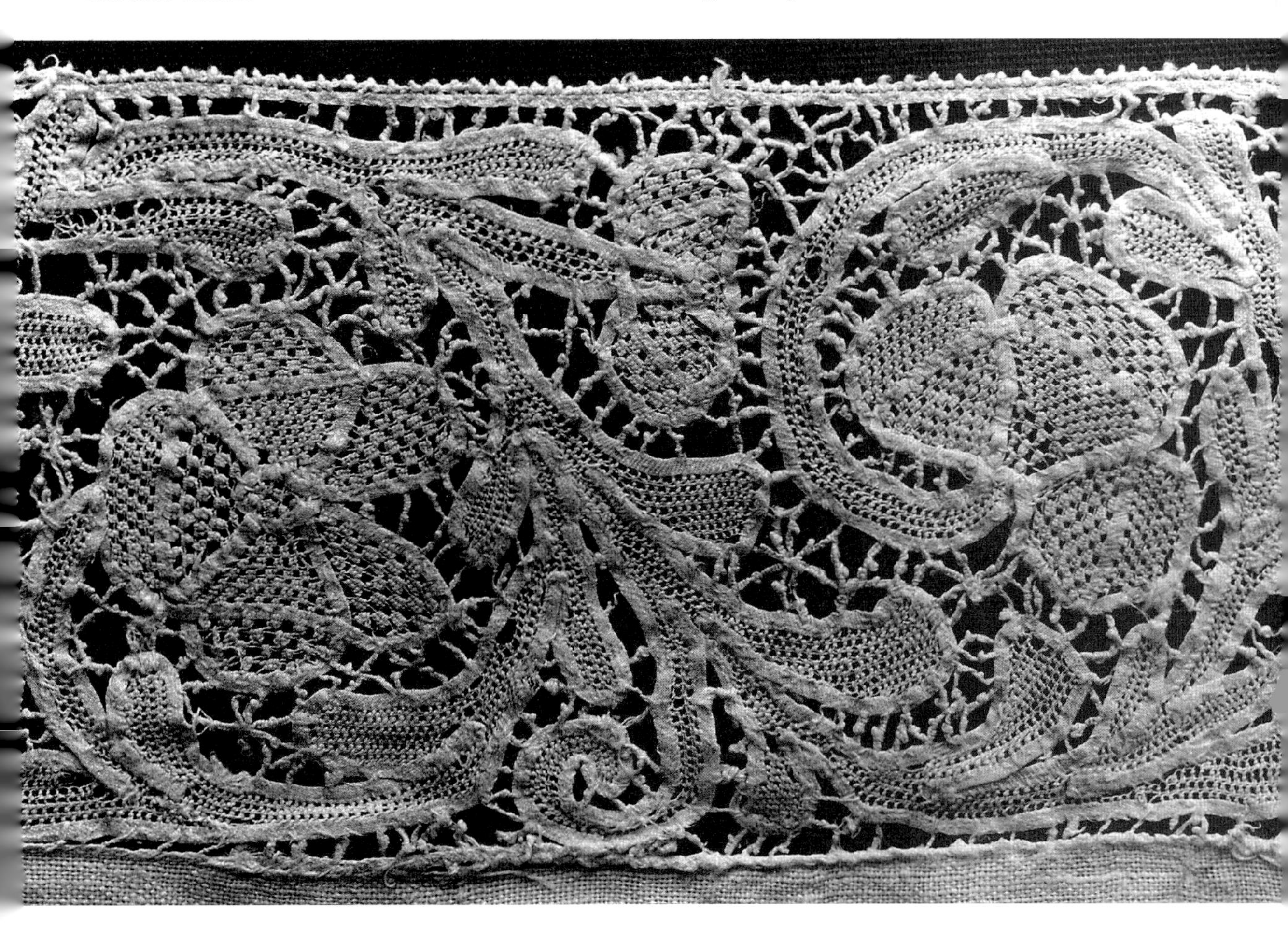

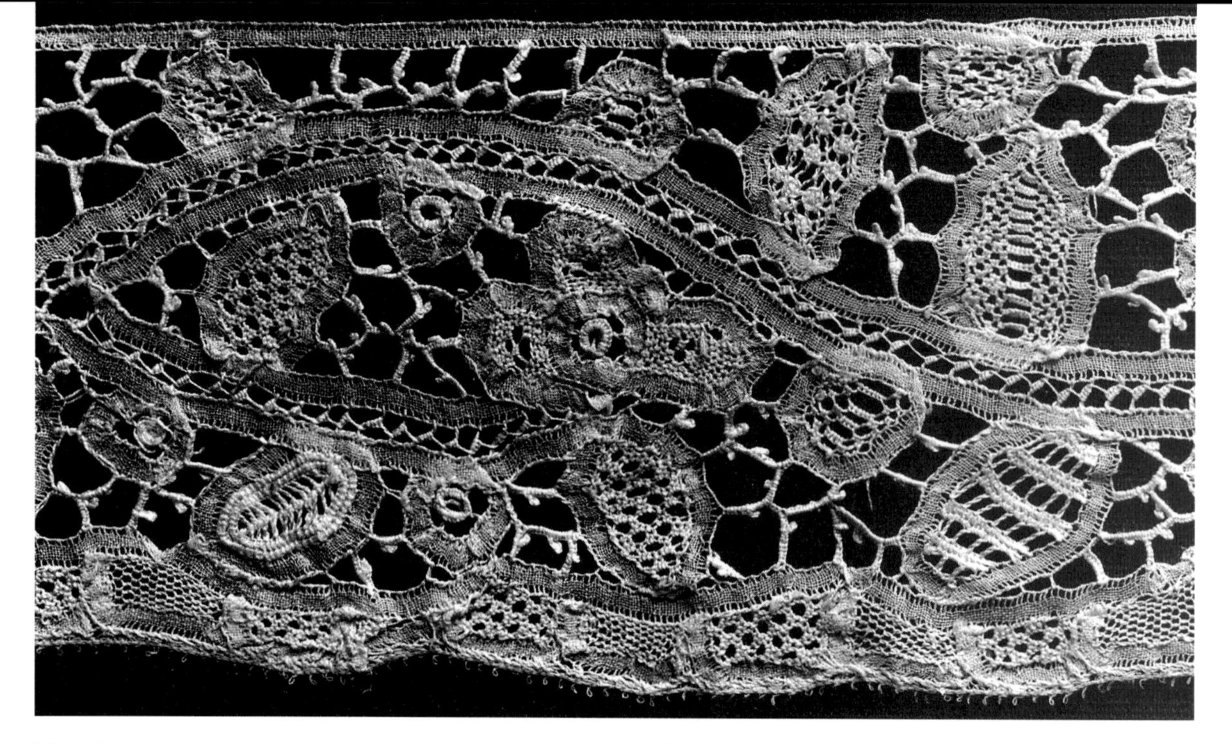

Mezzo Punto

The main reason for this revival of interest in tape lace was the invention of a machine that could copy all hand-made laces at great speed. Up to that time lacemaking had always been less popular than embroidery, knitting and other needlecrafts, as it was usually considered difficult, time-consuming and delicate work. But now, attracted by the pretty effect that could be achieved very quickly, many women started to make tape lace, finding its transparent beauty comparable with that of bobbin and needlepoint lace. Those who made lace professionally saw their income threatened by these developments. Lace was then a much sought-after fashion item and hand-made lace was especially in demand. In order to secure their incomes and also to meet the growing demand for hand-made lace, the professionals themselves turned to making tape lace. The tape used was machine-made but the stitches at least were worked by hand. One of the many enthusiasts who lamented the spread of machine laces was Daisy Waterhouse. In her book *Old Point Lace and How to Copy It* (1878) she tried to stimulate the production of hand-made needlepoint and tape lace.

Ladies' journals were quick to respond to the growing interest in tape lace, publishing patterns to decorate dresses, tablecloths and bedlinen. In each issue they tried to suggest new ways of working the tape. This resulted in techniques such as the use of coiled tape as decoration for clothing (known as filigrain). Ornaments were added to the tape and were available ready-made in the shops.

A l'origine de cet intérêt renouvelé se trouve l'invention de la machine, qui permettait l'imitation rapide et lucrative de n'importe quelle dentelle artisanale. Jusqu'alors la dentelle, considérée comme un ouvrage difficile, délicat et de longue haleine, n'avait pas vraiment pu intéresser les femmes qui s'occupaient à faire des broderies, du tricot ou d'autres ouvrages de dames. Mais tout à coup, les résultats satisfaisants obtenus sans trop de peine excitèrent l'enthousiasme pour la dentelle au lacet dont les points à l'aiguille

---

Die Ursache dieses neuen Interesses war die Erfindung der Maschine, die eine schnelle, schöne und preisgünstige Nachbildung irgendwelcher Handspitzen ermöglichte. Bei vielen der Damen, die als Zeitvertreib handarbeiteten, war das feine, mühsame und zeitraubende Spitzenmachen nie beliebt. Aber bald erfolgte aus dem schönen und schnell erreichten Resultat eine wirkliche Begeisterung für die Bändchenspitze, deren Füllmuster die Schönheit und feine Durchsichtigkeit der richtigen Spitze darstellten.

reflétaient la beauté et la transparence délicate de la dentelle. La dentelle était à l'époque un article très demandé et la possession de dentelles artisanales était très à la mode. Afin de pouvoir satisfaire rapidement la demande, les dentellières professionnelles, voyant leurs revenus menacés par cette évolution, se sont à leur tour mises à faire de la dentelle au lacet. Le lacet était bien entendu fabriqué à la machine, les points décoratifs étaient toutefois exécutés à la main. Parmi tous ceux qui ont eu en horreur cet afflux de dentelles mécaniques nous citons Mme. Daisy Waterhouse. Avec son livre *Old Point Lace and How to Copy It* ('La Dentelle à l'aiguille ancienne, comment la copier', 1878) elle a essayé de stimuler la production artisanale de dentelles au lacet et à l'aiguille.

La dentelle au lacet était très en vogue à l'époque et les journaux féminins suivaient la tendance en publiant des modèles pour l'ornement de vêtements, nappes ou literie. Chaque édition contenait de nouveaux exemples d'application, même jusque dans l'absurde, comme p. ex. un lacet enroulé en filigrane suivant les lignes d'un modèle pour l'ornement d'un habit. Des accessoires tout prêts pour la garniture de la dentelle au lacet, étaient en vente dans les magasins.

Die Berufsnäherinnen sahen ihre Einkünfte durch diese Entwicklung gefährdet. Die Spitze war damals ein beliebter Modeartikel und der Besitz einer Handspitze war sehr gefragt. Um dem grossen Bedarf an Handspitzen schnell nachzukommen und dadurch ihre Einkünfte zu sichern, gingen auch diese Frauen zum Herstellen von Bändchenspitzen über. Die Bändchen waren zwar mechanisch hergestellt, die Spitzenstiche wurden jedoch mit der Hand eingenäht. Frau Daisy Waterhouse war nur eine der Vielen, die das Maschinenprodukt verabscheuten. Mit ihrem Buch *Old Point Lace and How to Copy It* ('Alte Nadelpitze und ihre Imitation', 1878) versuchte sie, das Nachbilden von handgemachten Nadel- und Bändchenspitzen zu stimulieren.

Bändchenspitze war damals sehr in Mode. Die Damenblätter folgten dem grossen Interesse für diese Spitze, indem sie zur Verzierung von Kleidern, Tisch- und Bettwäsche geeignete Muster publizierten. Jeder Ausgabe fügte man neue Anwendungsmöglichkeiten hinzu, manchmal bis ins Sinnlose, wie z.B. das Aufrollen des Bandes wie Filigran zum Ausschmücken von Kleidung. Zum Verzieren der Spitze waren Zubehörteile fix und fertig im Handel verfügbar.

Ladies' journals (nineteenth century)
Journaux féminins (XIXe siècle)
Damenblätter (19. Jh.)

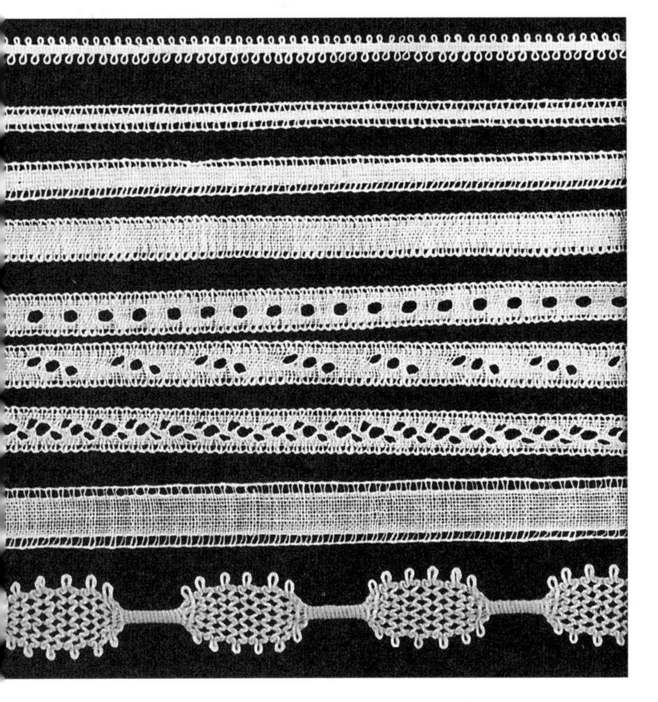

Old lace tapes
Lacets anciens
Alte Spitzenbändchen

New tapes were generally named after the type of bobbin or needlepoint lace they resembled. The tape laces in turn were named after the tapes they were made of, and their names varied from region to region. This is why it is quite difficult to determine the origin and age of a random piece of Renaissance lace. Among the approximately forty variations dating from that time are Honiton, Princess, Huguenot, Limoges, Duchesse, Louis Quinze, Luxeuil and Point de Bruges. A common name for nineteenth-century tape lace is Brussels lace or Point de Bruxelles.

The tapes most often used were straight-edged, sometimes with small holes for decoration. Tape woven on the bias with gathering thread only came on the market at a later date. Patterns were copied onto glazed cotton, which was reinforced by leather or smooth flexible wrapping paper. Although some lacemakers still used fine stitches in their work, much of the tape lace made commercially degenerated until it had little in common with the beautiful seventeenth-century tape laces or even with those made when the craft was first revived.

De nouveaux types de lacet étaient en général nommés d'après le type de dentelle aux fuseaux ou à l'aiguille qu'ils imitaient. Et la dentelle elle-même a pris son nom du type de lacet dont elle se composait. Comme ces noms varient de région en région, il est très difficile de déterminer l'origine et l'âge d'une dentelle Renaissance. Parmi la quarantaine de types qui ont

---

Neue Bändchenspitzensorten benannte man nach dem Band, das in der Spitze verarbeitet war. Die Namen konnten von Ort zu Ort verschieden sein, öfters auch wurden die Namen von bereits existierenden Klöppel- und Nadelspitzen einfach übernommen. Deshalb ist es sehr schwierig, die Herkunft und das Alter einer Renaissancespitze zu bestimmen. Einige bekannte

Application lace, c. 1900
Dentelle appliquée, c. 1900
Aufnäharbeit auf Tüll, c. 1900

existé à l'époque nous citons les plus connus : Honiton, Princesse, Huguenot, Limoges, Duchesse, Louis XV, Luxeuil et Point de Bruges. La dentelle Renaissance était connue communément sous l'appellation point de Bruxelles.

A l'origine on a utilisé pour la dentelle Renaissance un lacet à lisière droite, parfois un lacet ajouré. Le lacet tissé en biais avec des fils d'étirage n'a été introduit sur le marché que beaucoup plus tard. Le patron était reproduit sur du coton légèrement mercerisé, renforcé par une mince couche de cuir ou de papier d'emballage uni et souple. En dépit des bonnes intentions afin de réaliser des dentelles aux points délicats et variés, la dentelle Renaissance a fini par dégénérer, principalement sous l'influence commerciale, en une marchandise de qualité nettement inférieure, nullement comparable ni au merveilleux mezzo punto du XVIIe siècle, ni à la dentelle Renaissance originale.

Namen der etwa 40 Sorten aus jener Zeit sind Honiton, Princesse, Hugenot, Limoge, Duchesse, Louis Quinze, Luxeuil und Point de Bruges. Ein allgemeiner Name ist Brüsseler Spitze oder Point de Bruxelles.

Das Spitzenband war anfänglich nur gerade gewebt, manchmal mit einem Durchbruchrand. Erst später wurde das quergewebte Band mit Ziehfaden in den Handel gebracht. Das Muster wurde auf dünnem Glanzkattun übernommen und zur Befestigung auf dünnes Leder oder schmiegsames Packpapier geheftet. Trotz der Bemühungen vieler Handwerker, die Renaissancespitze mit Phantasie und schönen Stichen auszufüllen, entartete diese Spitze hauptsächlich aus kommerziellen Gründen zu einer Handelsware, die leider kaum noch mit dem früheren mezzo punto oder der originalen Renaissancespitze vergleichbar ist.

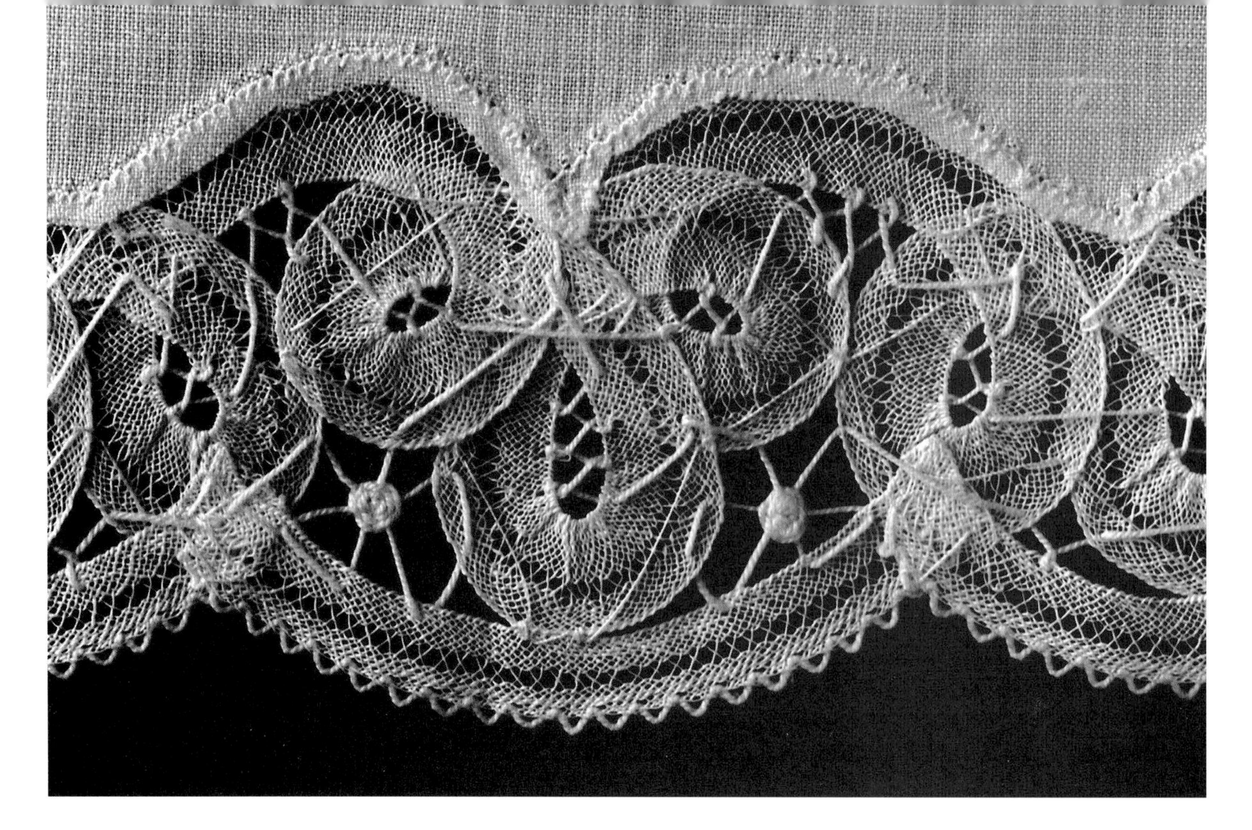

Top/en haut/oben Point de Bruxelles: poor quality (wrong side)
mauvaise qualité (l'envers)
schlechte Qualität (Hinterseite)

Bottom/en bas/unten Point de Bruxelles: fine quality
bonne qualité
gute Qualität

France

The first region in France to develop a tape-lace industry on a large scale was the Haute Saône, and the best-known lacemaking centre in the region was Luxeuil, a small, picturesque town where many women were very adept in needlework. Since the beginning of the eighteenth century they had made darned netting, as well as needlelaces such as Point de Venise, Point de Bruxelles and Point de Milan. However, Luxeuil lace became really popular in the summer of 1858 when Empress Eugénie, who paid regular visits to the town's thermal baths with her husband and entourage, was presented with a beautiful lace parasol by the local population. From then on, Luxeuil lace was exported throughout Europe, and from there to North Africa and the Americas.

The first tape laces made in Luxeuil were called Guipure d'Irlande and Guipure Renaissance, the former being for the most part a copy of the Irish needlelace that had reached the European market at that time. Guipure Renaissance, a lace which

Dentelle Arabe: lace tape
lacet
Bändchen

France

La Haute-Saône a été le premier département français à développer une industrie de dentelles au lacet à grande échelle. La dentelle la plus célèbre était celle de Luxeuil, une petite ville pittoresque dont la population féminine était réputée pour ses travaux à l'aiguille. Dès le début du XVIIIe siècle les femmes de Luxeuil ont contribué au budget familial en faisant du filet brodé et de parfaites copies de certaines dentelles à l'aiguille, telles que le point de Venise, le point de Bruxelles et le point de Milan. La grande popularité de la dentelle de Luxeuil prit naissance au cours de l'été 1858, lorsque la population locale offrit une magnifique ombrelle en dentelle à l'Impératrice Eugénie qui visitait régulièrement la station thermale, accompagnée de son époux et de son entourage. Par l'intermédiaire de cette illustre compagnie, la renommée de la dentelle de Luxeuil s'est répandue à travers l'Europe, jusqu'en Afrique du Nord et en Amérique.

La première dentelle au lacet fabriquée à Luxeuil était appelée Guipure d'Irlande ou Guipure Renaissance. Dans la première il s'agissait d'imitations de la dentelle irlandaise qui avait entretemps été introduite sur le marché européen. La Guipure Renaissance, appelée également Dentelle Arabe ou Guipure de Flandre, était une dentelle rustique aux lacets épais d'un ton écru

Frankreich

Die Haute-Saône war das erste Departement Frankreichs, in dem sich eine grosszügige Spitzenindustrie entwickelte. Die bekannteste Bändchenspitze ist diese aus Luxeuil, einem malerischen Ort der Haute-Saône, dessen weibliche Bevölkerung in Näharbeiten besonders erfahren war. Seit Anfang des 18. Jh. arbeiteten sie zum Broterwerb Netzstickereien und perfekte Nadelspitzenkopien, wie z.B. Point de Venise, Point de Bruxelles und Point de Milan. Die grosse Begeisterung für die Spitze aus Luxeuil entstand während des Sommers 1858, als die Kaiserin Eugénie, die mit ihrem Mann und Gefolge regelmässig die Thermalbäder dort besuchte, einen prachtvollen Sonnenschirm von der Bevölkerung geschenkt bekam. Über die hohe Gesellschaft verbreitete sich die Spitze durch Europa bis Nordafrika und Amerika.

Die ältesten Bändchenspitzen Luxeuils nannte man Guipure d'Irlande oder Guipure Renaissance. Bei der ersten handelte es sich um Imitationen der irischen Spitze, die mittlerweile auf dem europäischen Markt erschienen war. Die Guipure Renaissance, die man auch Dentelle Arabe oder Guipure de Flandre nannte, war eine aus grobem grauem Band hergestellte Spitze, manchmal mit Relief und groben Fäden ausgeführt (die grosse Mode um 1889).

Luxeuil

was made of coarse, off-white/greyish tape, sometimes embossed, with fillings made of coarse thread, is also known as Dentelle Arabe or Guipure de Flandre. It was at the height of its popularity in the late 1880s.

Dissatisfied with the lifeless, mass-produced lace they were making, the traders, designers and workers of Luxeuil decided to create a new and unique tape lace. Around 1892 Luxeuil tape lace reached its present form. It featured a wide variety of stitch patterns, many of them created by the lace workers themselves. These included flowing patterns in the style of the seventeenth century, asymmetrical flower motifs and stitch patterns based on well-known needlepoint laces. A border of stitches was used to finish each piece.

Unfortunately, interest in lacemaking declined after around 1914. By 1980, of the 25,000 professionals employed in the industry at the turn of the century, only six remained! In order that the art of Luxeuil tape lace should not be lost, the Le Thiavaux Conservatoire de la Dentelle was founded in 1978.

Luxeuil, detail

---

tirant sur le gris, quelquefois ornés d'un bourdon en relief et aux points de dentelle en fil épais également (à la mode vers 1889).

Une insatisfaction à l'égard de la production de masse sans nouveauté a fait naître une dentelle tout à fait originale créée et réalisée par les efforts conjoints des négociants, dessinateurs et dentellières. Vers 1892 la dentelle au lacet de Luxeuil avait atteint son aspect actuel, caractérisé par des modèles aux lignes onduleuses et ininterrompues, comme ceux des dentelles au lacet du XVIIe siècle, des modèles asymétriques avec motifs à fleurs dans un style contemporain et une grande variété de points de remplissage empruntés en partie aux anciennes dentelles à l'aiguille et à la dentelle irlandaise, mais créés pour une bonne part par les dentellières de Luxeuil. Chaque ouvrage est bordé de points à dentelle ou de picots.

Vers 1914, par suite des évolutions dans la mode, l'intérêt pour la dentelle a commencé à diminuer. Des quelque 25.000 dentellières professionnelles que Luxeuil avait comptées à l'heure de gloire de la dentelle au lacet, il n'en restait plus que six en 1980. Afin de préserver à jamais les connaissances techniques de la dentelle spécifique de Luxeuil, on a fondé en 1978 le Conservatoire de la Dentelle, appelé 'Le Thiavaux'.

Infolge einer zunehmenden Unzufriedenheit mit den massenhaften unbeseelten Imitationen kamen die Händler, Entwerfer und Spitzennäherinnen dazu, eine ganz originale Spitze zu entwerfen. Um 1892 hatte die Luxeuiller Bändchenspitze ihre heutige Form erreicht, gekennzeichnet durch fliessende, laufende Musterlinien, genau wie im 17. Jh., asymmetrische Muster mit Blumenmotiven in zeitgenössischem Stil und eine grosse Verschiedenheit an eingenähten Stichvariationen, teilweise der älteren Nadelspitze und irischen Spitze entnommen, aber auch zum Teil eine Kreation der Luxeuiller Näherinnen. Jedes Spitzenstück ist mit Stichen oder Picots am Rand ausgeschmückt.

Ein Wechsel der Mode verursachte um 1914 ein zurückgehendes Interesse an der Spitze. Von den etwa 25.000 Berufsnäherinnen aus der Blütezeit blieben 1980 nur noch sechs übrig. Damit die originale Luxeuiller Spitzentechnik nicht verlorengeht, wurde 1978 das Conservatoire de la Dentelle, 'Le Thiavaux' gegründet.

Belgium

The three laces known as Guipure de Flandre, Point de Milan and Vieux de Flandre formed the basis of the nineteenth-century revival of lacemaking in Belgium. Guipure Renaissance, also called Guipure de Flandre, was created in 1840 by Marie van Outryve d'Ydewalle, who drew her inspiration from an old seventeenth-century piece of Guipure lace. Point de Milan was frequently copied from antique samples, and was made to such a high standard that it could not be distinguished from the original. Vieux-Flandre was developed at the end of the nineteenth century; closely resembling Point de Milan, it was inspired by old Flemish bobbin lace.

An estimated 20,000 lace workers earned their living in the tape-lace industry that grew up around Bruges, Ghent and Brussels and flourished until about 1914. After the Second World War, tourism in Belgium led to a revival of interest in lacemaking of all kinds, including tape lace.

United Kingdom

Between 1860 and 1880 a unique English tape lace was developed in South Devon. Confusingly, it was at first called Irish lace, probably because it featured stitch patterns from Irish Youghal needlelace, but this name was later changed to Branscombe lace, after the town in which it had originated. Around 1860, due to a fall in the demand for Honiton bobbin lace, many lace workers switched to making tape lace.

A Branscombe lace merchant had brought home some tape-lace samples from a visit to Paris and given them to his workers to copy. Soon it was discovered that tape lace could be made more quickly than bobbin lace, and thus provide an increased income. However, the Honiton workers were accustomed to making fine lace with beautiful and varied fillings and were not pleased with the coarse fillings of the French samples. They copied stitch patterns from Youghal needlelace before going on to invent their own patterns, which are

---

Belgique

En Belgique la Guipure de Flandre, le point de Milan et le Vieux-Flandre ont été à la base de la dentelle Renaissance locale. La Guipure de Flandre avait été créée en 1840 par Melle. Marie Van Outryve d'Ydewalle, qui s'était inspirée d'une ancienne guipure du XVIIe siècle. Le point de Milan (XVIIe siècle) était imité en grand nombre à la fin du XIXe siècle et les copies ne pouvaient être distinguées de la dentelle originale. Le Vieux-Flandre fabriqué à la fin du 19e siècle avait une grande ressemblance avec le point de Milan, mais s'inspirait de l'ancienne dentelle flamande aux fuseaux.

L'industrie de la dentelle au lacet, en expansion jusque 1914, aurait employé quelque 20.000 dentellières professionnelles dispersées aux alentours des grandes villes, telles que Bruges, Gand et Bruxelles. Le tourisme qui a pris son essor après la seconde Guerre Mondiale, a contribué pour une grande part à l'intérêt renouvelé pour les dentelles belges en général et les dentelles au lacet en particulier.

Belgien

In Belgien bildeten die Guipure de Flandre, die Point de Milan und die Vieux-Flandre die Grundlage der Renaissancespitze. Guipure de Flandre war eine Kreation aus 1840 von Frl. Marie van Outryve d'Ydewalle, die dabei in einer früheren Gipüre aus dem 17. Jh. ihre Inspiration fand. Die Point de Milan (17. Jh.) wurde im späten 19. Jh. vielfach imitiert und war vom Original kaum zu unterscheiden. Vieux-Flandre aus dem späten 19. Jh. war der Point de Milan sehr ähnlich, aber war durch die früheren flämischen Klöppelspitzen inspiriert.

Es wird angenommen, dass in der Blütezeit bis 1914 etwa 20.000 Spitzen-wirkerinnen in den Ortschaften in der Nähe von Brügge, Gent und Brüssel tätig waren. Durch den Tourismus, der nach dem zweiten Weltkrieg in Schwung kam, wurden die belgischen Spitzen, und die Bändchenspitzen insbesondere, wieder weltberühmt.

Youghal

Grande Bretagne et Irlande

Entre 1860 et 1880 l'Angleterre a vu naître dans le sud du comté de Devon, une dentelle au lacet tout à fait indépendante. Cette dentelle, appelée point d'Irlande au début de son existence, est devenue plus tard la dentelle de Branscombe, d'après son lieu d'origine. Le nom de point d'Irlande lui a sans doute été donné parce que les dentellières ont d'abord imité les points décoratifs à l'aiguille de l'ancienne dentelle irlandaise Youghal. Vers 1860, par suite d'une diminution d'intérêt pour la dentelle Honiton, beaucoup de dentellières de Branscombe spécialisées dans ce type de dentelle, se sont mises à faire des dentelles au lacet.

Un négociant en dentelle de Branscombe avait rapporté de Paris une quantité de lacets et quelques exemples d'ouvrages terminés, à l'intention des dentellières locales. Celles-ci découvrirent bien vite que la dentelle au lacet pouvait être fabriquée assez

Grossbritannien und Irland

In England, Süddevon, entstand zwischen 1860 und 1880 eine ganz neue Spitzenart, die zuerst Irish Point genannt wurde, später aber den Namen der Ortschaft Branscombe bekam. Die Bezeichnung Irish Point ist wahrscheinlich dadurch zu erklären, dass beim Einarbeiten der Stiche anfänglich die irische Spitzenart Youghal als Vorlage diente. In Branscombe und in der Nähe hatten sich die Honiton-Klöpplerinnen um 1860 wegen der zurücklaufenden Nachfrage nach dieser Spitzenart auf die Bändchenspitzenarbeit umgestellt.

Ein Branscomber Spitzenhändler hatte aus Paris Band und einige Spitzen als Vorlage mitgenommen und setzte einige Frauen an die Arbeit. Sie entdeckten schnell, dass das Herstellen von Bändchenspitzen weniger zeitraubend war und deshalb bessere Einkünfte in Aussicht stellte. Die Honiton Klöpplerinnen, die mit den vielen schönen und feinen Ausfüllungen vertraut waren, konnten sich

Branscombe lace, c. 1900

rapidement et par conséquent pouvait leur procurer des revenus plus élevés. Cependant, les dentellières habituées aux ouvrages très fins et aux jours gracieux et variés de la dentelle Honiton n'appréciaient pas les remplissages plutôt rustiques de ces exemples venus du continent. Elles ont d'abord imité les points de remplissage de la dentelle Youghal et plus tard elles ont créé leurs propres jours de dentelles, qui à l'heure actuelle caractérisent la dentelle spécifique de Branscombe. Dans les bords extérieurs de la dentelle de Branscombe, ornés de points de grains, on reconnaît l'influence indéniable de la dentelle de Youghal.

La dentelle de Branscombe est ainsi devenue une magnifique dentelle au lacet composée de jours uniques que l'on considère à juste titre comme la plus jolie de toutes les dentelles de ce genre. Exécutée à l'origine sur deux couches de papier brun, elle se compose de lacets à lisière droite. Jusqu'à ce jour la dentelle de Branscombe est restée une dentelle de haute qualité; elle est toujours caractérisée par un aspect très délicat et une multitude de jours, contrairement à celles du continent et d'Amérique (à l'exception des dentelles originales de Luxeuil).

jedoch mit der groben Arbeit vom Kontinent nicht begnügen. Deshalb übernahmen sie die schöneren Stiche der Youghal und entwarfen später auch neue Variationen, die heutzutage noch immer die spezifische Branscombe-Spitze kennzeichnen. Die sogenannten Muschelstiche am Spitzenrande verraten deutlich den Einfluss der Youghal. So bildete sich die Branscombe zu einer sehr schönen Bändchenspitze heraus. Mit Recht wird sie wegen ihrer einmaligen Stichmuster als die schönste aller Bändchenspitzen bezeichnet.

Das benutzte Band ist gerade gewebt. Ursprünglich wurde auf zwei Schichten braunes Papier gearbeitet. Die englische Branscombe-Spitze ist bis heute immer noch von vorzüglicher Qualität. Mit ihren vielfachen Stichen und ihrer besonderen Feinheit übertrifft sie mühelos die Produkte vom Kontinent und aus Amerika (mit Ausnahme der Originalspitze aus Luxeuil).

now recognized as typical of Branscombe lace. The Youghal influence is clearly seen in the so-called purl- or shell-stitch finishing on the edges of the lace, yet Branscombe, with its unique patterns, is considered to be one of the most beautiful of all tape laces in its own right.

Branscombe was originally made using two layers of brown paper and straight-edged tape, and its high quality has been maintained up to the present day. It still has a multitude of fillings and is worked with very fine stitches, in contrast to Continental and American tape laces (with the notable exception of antique Luxeuil).

USA

The common name for tape lace in the United States is Battenberg and its inventor is often said to be Sara Hadley. But it is more likely that she was inspired by examples seen on a visit to England, or by the tape lace imported into the USA in large quantities. A lacemaker and designer, she lived in New York and also sold lacemaking materials.

American tape lace was originally referred to as English Point or Royal Battenberg. Princess Beatrice, the youngest daughter of Queen Victoria, married Henry of Battenberg in 1885. She and her husband lived at the English court during a period in which the royal family wore lace, and even Continental tape lace, in abundance.

The history of Battenberg lace is closely connected with the nineteenth-century tape-lace revival. Much of this very popular lace was made by professional lace workers, but it was also made

---

Etats-Unis

Aux Etats-Unis la dentelle au lacet, appelée communément Battenberg, aurait soi-disant été inventée par Mme. Sara Hadley. Il est plus probable que Mme. Hadley ait trouvé son inspiration lors d'une visite en Angleterre ou encore qu'elle ait créé cette nouvelle dentelle en se basant sur les dentelles au lacet importées en masse de Belgique et de France. Sara Hadley était dentellière et dessinatrice de dentelles et tenait un commerce de fournitures et accessoires de dentelles à New York.

Les premiers noms donnés à la dentelle au lacet ont été Old English Point et Royal Battenberg. La princesse Béatrice, dernière fille de la Reine Victoria, avait été mariée à Henri von Battenberg le 23 juillet 1885. Le jeune couple vivait à la Cour de la Reine Victoria à une époque où la famille royale portait des dentelles à profusion, même les dentelles au lacet du continent.

L'histoire de la dentelle Battenberg est parallèle à celle de la dentelle Renaissance. Elle est devenue extrêmement populaire et les amateurs ne l'ont cédé en rien aux dentellières professionelles. Les journaux féminins offraient une grande variété de modèles et de possibilités d'exécution. Les accessoires tout prêts étaient en vente partout. A l'origine, la dentelle Battenberg était même plus jolie que la dentelle Renaissance. Les différents jours étaient exécutés avec un fil très fin et les remplissages se faisaient à points très serrés. La dentelle Battenberg se composait de brides festonnées à picots et

USA

Man erzählt, dass die Battenberger Spitze, ein allgemeiner Name für Bändchenspitzen in Amerika, von einer Frau Sara Hadley erfunden worden sei. Es ist eher anzunehmen, dass Frau Hadley während ihrer Reisen nach England mit Bändchenspitzen in Kontakt kam, oder unter Einfluss der ungeheuren Mengen aus Belgien und Frankreich importierten Bändchenspitzen ihre neuen Spitzenmuster entwarf. Sie lebte damals in New York, war Spitzenentwerferin und verkaufte Spitzen-material und Zubehör.

Anfänglich wurde die Bändchenspitze in Amerika Old English Point oder Royal Battenberg genannt. Prinzessin Beatrice, die jüngste Tochter der Königin Victoria, hatte am 23. Juli 1885 Heinrich von Battenberg geheiratet. Beatrice und Heinrich lebten während ihrer Ehe am englischen Hof zu einer Zeit, wo die königliche Familie reichlich mit Spitzen verzierte Kleidung, und sogar auch Spitzen vom europäischen Kontinent trug.

Die Geschichte der Battenberger Spitze verläuft parallel zu der Renaissancespitze. Sie war äusserst beliebt und wurde sowohl zum Zeitvertreib als auch von Berufsnäherinnen hergestellt. In den Damenblättern erschienen zahlreiche Muster und Anwendungsmöglichkeiten. Zubehör kaufte man überall fix und fertig. Ursprünglich war die Battenberger Spitze sogar schöner als die Renaissancespitze, mit vielen Stichen und feinen Fäden eingenäht. Die Battenberger Spitze hatte geschlungene Stäbchen mit Picots und

at home as a pastime, and ladies' journals were filled with patterns and working methods. In the early days Battenberg was even more beautiful than its European rivals. The patterns were executed with fine thread and filled to the limit. The lace featured buttonhole bars with picots, as well as Ragleigh bars, while European lace of the period had merely whipped bars and simple Buttonhole-stitch fillings. Later the two types of lace became more alike, both being made with whipped bars and few fillings. There is even a Battenberg lace in which only Russian stitch, or faggoting, is used.

The tape used for Battenberg was originally straight edged but was later woven on the bias with a gathering thread. The patterns were prepared in the same way as for other tape laces, using glazed cotton on thin leather or on smooth, flexible wrapping paper. There is still an enormous interest in the USA in Battenberg lacemaking.

South-East Asia

Early twentieth-century missionaries laid the foundations for the lace industry in this part of the world, and the best-known tape lace to emerge from the region is that produced in China. It is made very cheaply, with government subsidies, and can be easily recognized by its simplicity. The tape is usually made from strips of cotton in order to keep production costs as low as possible.

Right: Lace from Asia
A droite: Dentelle d'Asie
Recht: Orientaler Spitze

---

de fonds à brides ramifiées ('Ragleigh bars'). La dentelle Renaissance européenne n'avait que des brides à points de surjet et des jours simples à points de feston. Plus tard les deux types se sont de plus en plus ressemblés, pour ne présenter finalement que des brides à points de surjet et des jours très élémentaires. Il y a même des dentelles Battenberg dont les points décoratifs se limitent au point russe, appelé 'fagotting'.

Tout comme dans la dentelle Renaissance, les lacets étaient d'abord à lisière droite, puis tissés en biais avec fils d'étirage. Les patrons étaient préparés de la même façon, sur coton mercerisé renforcé par une mince couche de cuir ou de papier d'emballage uni et souple. Aux Etats-Unis les dentelles Battenberg jouissent toujours d'une énorme popularité.

Asie du Sud-Est

Dans de nombreux pays du Sud-Est asiatique ce sont les missionnaires qui ont introduit les éléments de base d'une industrie dentellière florissante au début de ce siècle. La plus connue est la dentelle au lacet chinoise, dont la production est subventionnée par l'état et par conséquent très lucrative. L'exécution très sobre de ces ouvrages les rend facilement reconnaissables. Des bandelettes en coton remplacent les lacets et permettent ainsi de réduire les frais de fabrication au minimum.

Gründe mit 'Ragleigh bars' (verzweigten Stäbchen). Die Renaissancespitze hatte nur umwickelte Stäbchen und einfache Schlingstichfüllungen. Diese vereinfachten Zierstiche kommen auch in der späteren Battenberger Spitze mehr und mehr vor und manchmal werden sogar nur Russische Stiche zwischen den Bändchen genäht (sgn. 'fagotting').

Genau wie bei den Renaissancespitzen waren die Bändchen anfänglich gerade gewebt, später auch quergewebt mit Ziehfäden. Die Muster wurden auf gleiche Weise übernommen auf Glanzkattun, mit dünnem Leder oder einem schmiegsamen Packpapier befestigt. In Amerika ist diese Spitzenart immer noch äusserst populär.

Südostasien

Anfang des 20. Jh. wurde durch Missionstätigkeiten in vielen Ländern Südostasiens die Basis zu einer blühenden Bändchenspitzenindustrie gelegt. Die Spitze aus China ist davon die bekannteste. Staatliche Subventionen ermöglichen eine sehr vorteilhafte Produktion und die Herstellungskosten werden gesenkt, indem man einfache Baumwollstreifen als Band verarbeitet. Durch ihre einfache Ausführung ist diese Bändchenspitze deutlich erkennbar.

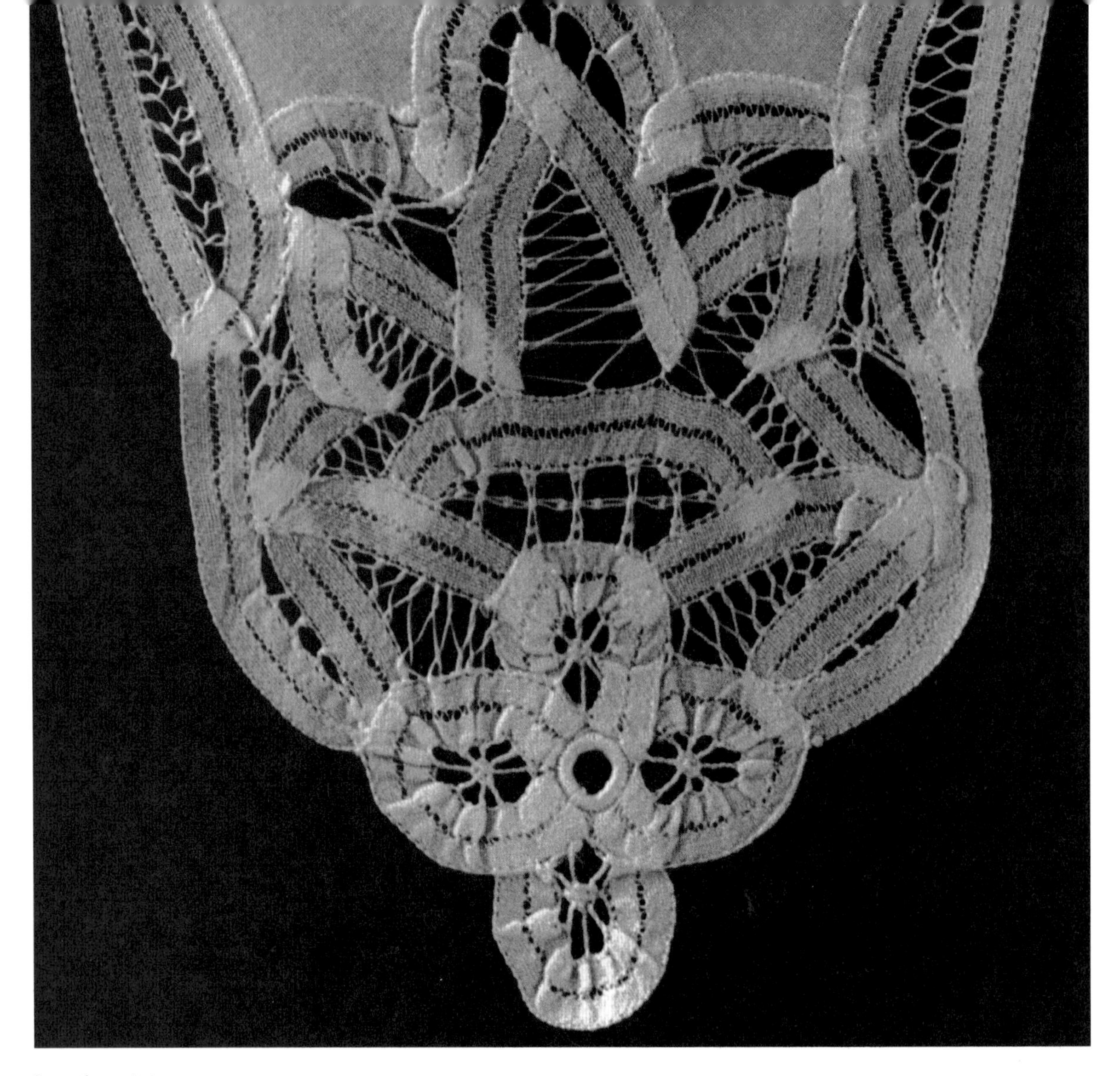

Lace from Asia
Dentelle d'Asie
Orientaler Spitze

Brazil

A simplified form of Branscombe tape lace known as *Renda Irlandesa* (Portuguese for 'Irish Point') was introduced into Brazil by Irish nuns, who ran schools in the north of the country during the early part of this century. The modern Brazilian tape-lace industry started some forty years ago in Poçao, Pernambuco, at which time the name of the lace was changed to *Renascença* or *Renda Inglesa*. The lace is still made today by workers in rural areas, notably Pernambuco, Sergipe, Rio Grande do Norte, Paraiba and Bahia, providing a major part of their income.

In Rio Grande do Norte, lace is made using fibre derived from the leaves of an agave plant known as sisal. However, Brazilian lace is still worked in the same way as its European counterpart, the only difference being that it is made on a roll of stiff cloth, since most workers cannot afford a pillow.

Renascença is sold in tourist centres throughout Brazil, but the best tape lace is found in Recife. In this city, work from Poçao and Pesqueira can be purchased. Subject to strict quality control, the lace from these areas can truly compete with any other variety of tape lace.

Brésil

Une exécution simplifiée de la dentelle de Branscombe connue sous la dénomination *Renda Irlandesa* (point d'Irlande en portugais), fut introduite au Brésil au début de ce siècle par des religieuses irlandaises chargées de l'éducation dans le nord du pays. L'actuelle industrie de dentelles brésilienne fut commencée il y a 40 ans environ à Poçao, Pernambuco. Sous la dénomination *Renascença* ou *Renda Inglesa* cette dentelle est toujours fabriquée en grandes quantités par la population féminine rurale du Nord-Est, notamment dans les Etats de Pernambuco, Sergipe, Rio Grande do Norte, Paraiba et Bahia, où elle contribue pour une grande part aux revenus familiaux.

Brasilien

Unter dem Namen *Renda Irlandesa*, portugiesisch für 'irische Spitze', findet man die Branscombe Spitze in einer etwas vereinfachten Form in Brasilien wieder. Irische Missionsschwestern, die Anfang dieses Jahrhunderts für den Unterricht im Norden Brasiliens zuständig waren, legten die Basis für die heutige Bändchenspitzenindustrie, die vor etwa 40 Jahren in Poçao (Pernambuco) entstand. Damals wurde auch der Name in *Renascença* oder *Renda Inglesa* gewechselt. Im Inneren Nordostbrasiliens, in den Staaten Pernambuco, Sergipe, Rio Grande do Norte, Paraiba und Bahia, werden diese Bändchenspitzen immer noch in grossem Umfange hergestellt. Den Frauen der Landbewohner

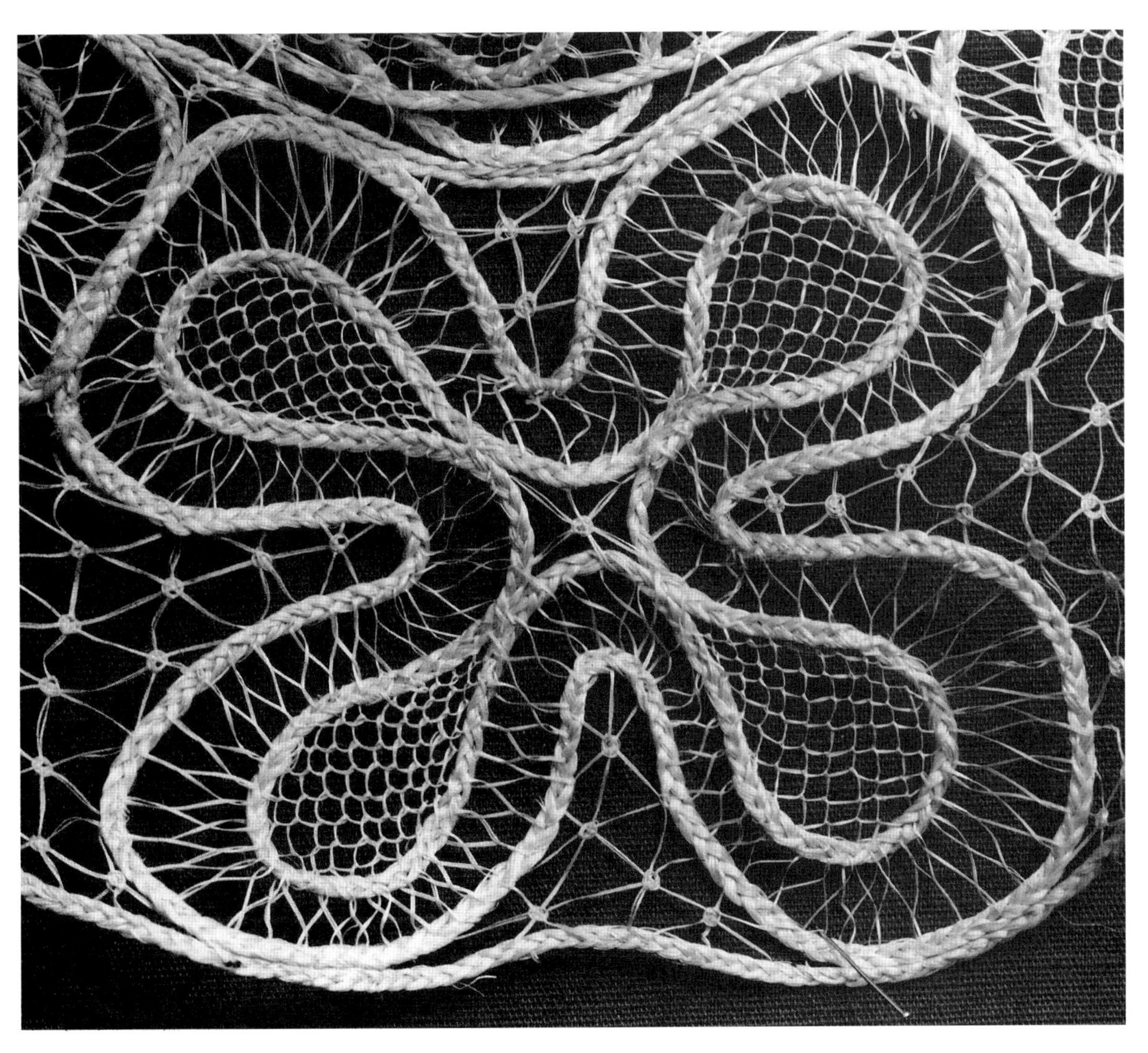

Rio Grande do Norte

Recife

La dentelle de Rio Grande do Norte est très particulière, puisqu'elle se compose de lacets en sisal, un produit dérivé des feuilles d'agave. Les méthodes de travail brésiliennes ressemblent fort à celles de l'Europe, avec la seule différence que l'on y travaille sur un rouleau d'étoffe solide.

La dentelle Renascença est en vente dans tous les centres touristiques du Brésil. La plus jolie dentelle au lacet du pays peut être achetée à Recife (Pernambuco). On y vend les dentelles originaires de Poçao et de Pesqueira, qui sont soumises à un contrôle très rigoureux et peuvent facilement faire concurrence à n'importe quelle autre dentelle au lacet.

gelingt es auf diese Weise, zum Teil für den Unterhalt der Familie zu sorgen.

Überraschend ist die Spitze von Rio Grande do Norte aus Sisal, einem Produkt der Agaveblätter. Die Arbeitsweisen in Brasilien und Europa sind weiter vollkommen gleich. Nur wird auf einem Lappen gearbeitet, der nach dem Mass des Werkstückes gefaltet und gerollt wird.

Die brasilianische Spitze wird mit Erfolg in allen Touristenzentren, besonders an der Küste, verkauft. Die schönste Spitze kommt aus Recife, wo die *Renascença* aus Poçao und Pesqueira verkauft wird. Diese Spitze, deren Qualität am strengsten überwacht wird, gehört zu den besseren Produkten und kann den Vergleich mit jeder anderen Bändchenspitze mühelos bestehen.

II
The Technique

La Technique
Die Technik

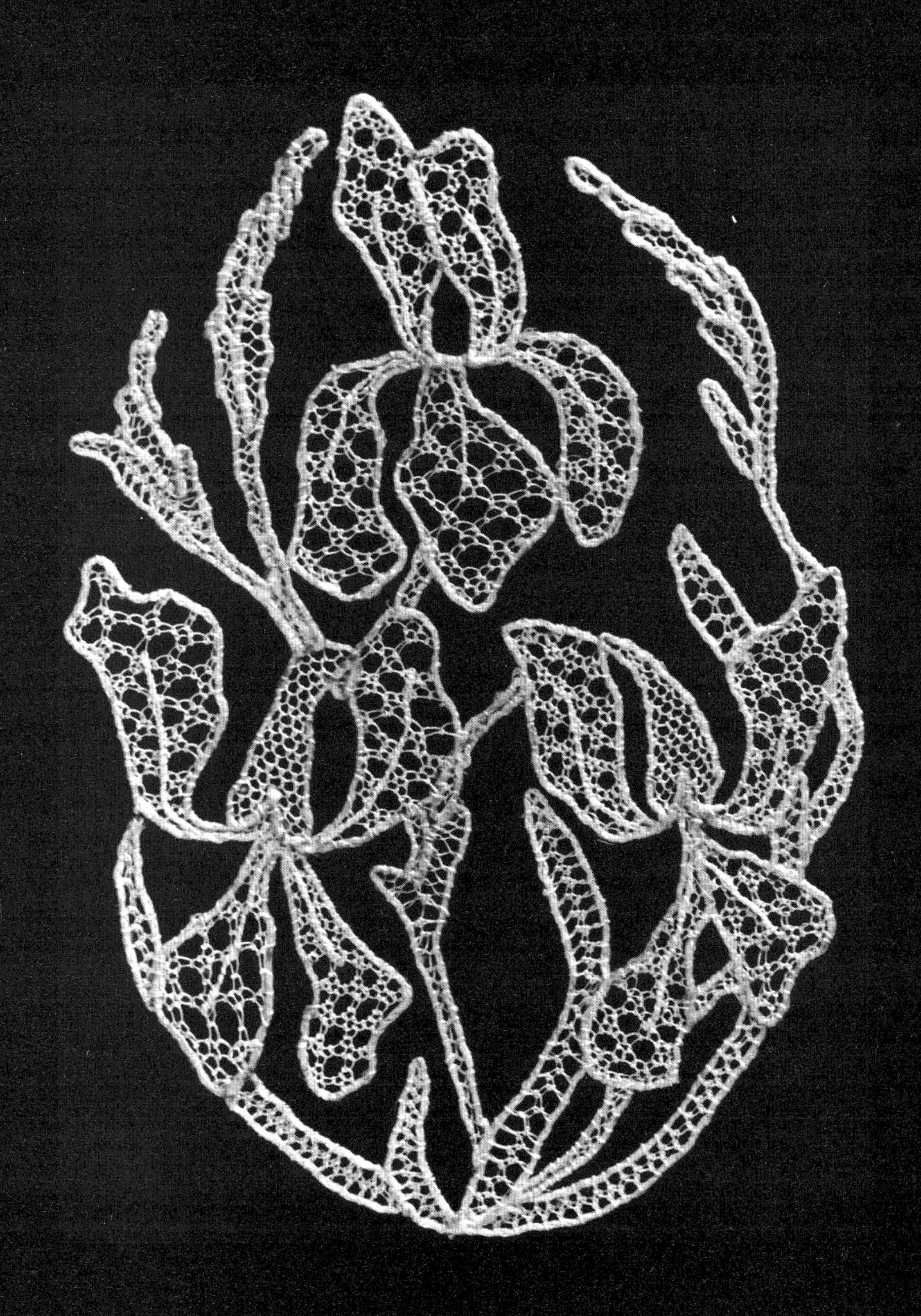

Materials Required

1 Foundation Material
- straight-edged tape
- tape with gathering thread
- home-made bobbin-lace tape
- crocheted tape
- ready-made tapes other than lace tapes

2 Threads
- coloured sewing thread (colourfast, for basting)
- sewing thread in colour of foundation material
- other thread suitable for needlelace

3 Needles
- fine sewing needle for basting and sewing
- needle with blunt or round point (for lace stitches)

4 Paper
- flexible smooth paper (brown wrapping paper is most commonly used)

5 Pattern

6 Pins (optional)

Contemporary tapes
Lacets contemporains
Zeitgenössische Spitzenbändchen

Fournitures nécessaires

1 Matériel de base
- lacet à lisière droite
- lacet à fil d'étirage
- lacet confectionné aux fuseaux
- cordon crocheté
- lacets tout prêts autres que les lacets à dentelle

2 Fils
- du fil de couleur (grand teint, à faufiler)
- du fil à coudre dans la couleur du matériel de base
- du fil pour les points à dentelle

3 Aiguilles
- une fine aiguille à coudre (couture/faufilage)
- une aiguille à bout rond (points à dentelle)

4 Papier
- du papier souple et solide, le plus utilisé : papier brun d'emballage

5 Patron

6 Epingles (éventuellement)

Benötiges Material

1 Als Basis
- Litze mit geradem Rand
- Litze mit Ziehfaden
- geklöppelte Litze (selbstgemacht)
- gehäkelte Schnur
- gebrauchsfertige Litzen ausser Spitzenbändchen

2 Garn
- farbiges Stichgarn (farbecht, zum Heften)
- Nähgarn in der Farbe des Basismaterials
- Spitzengarn zum Einnähen der Spitzenstiche

3 Nadeln
- dünne Nähnadel (Heften/Verbindungen)
- Nähnadel mit stumpfer oder runder Spitze (Einnähen der Spitzenstiche)

4 Papier
- schmiegsames, festes Papier, meist verwendet: braunes Packpapier

5 Muster

6 Stecknadeln (gegebenenfalls)

Order of Work

1 Prepare the pattern
2 Prepare the tape
3 Pin
4 Baste
5 Sew the intersections
6 Work the lace stitches

Ordre de travail

1 Préparer le patron
2 Préparer le lacet
3 Epingler
4 Faufiler
5 Coudre les jonctions
6 Effectuer les points de remplissage

Die Arbeitsgänge

1 Vorbereiten des Musters
2 Vorbereiten der Litze
3 Aufstecken
4 Aufheften
5 Verbindungen nähen
6 Einnähen der Spitzenstiche

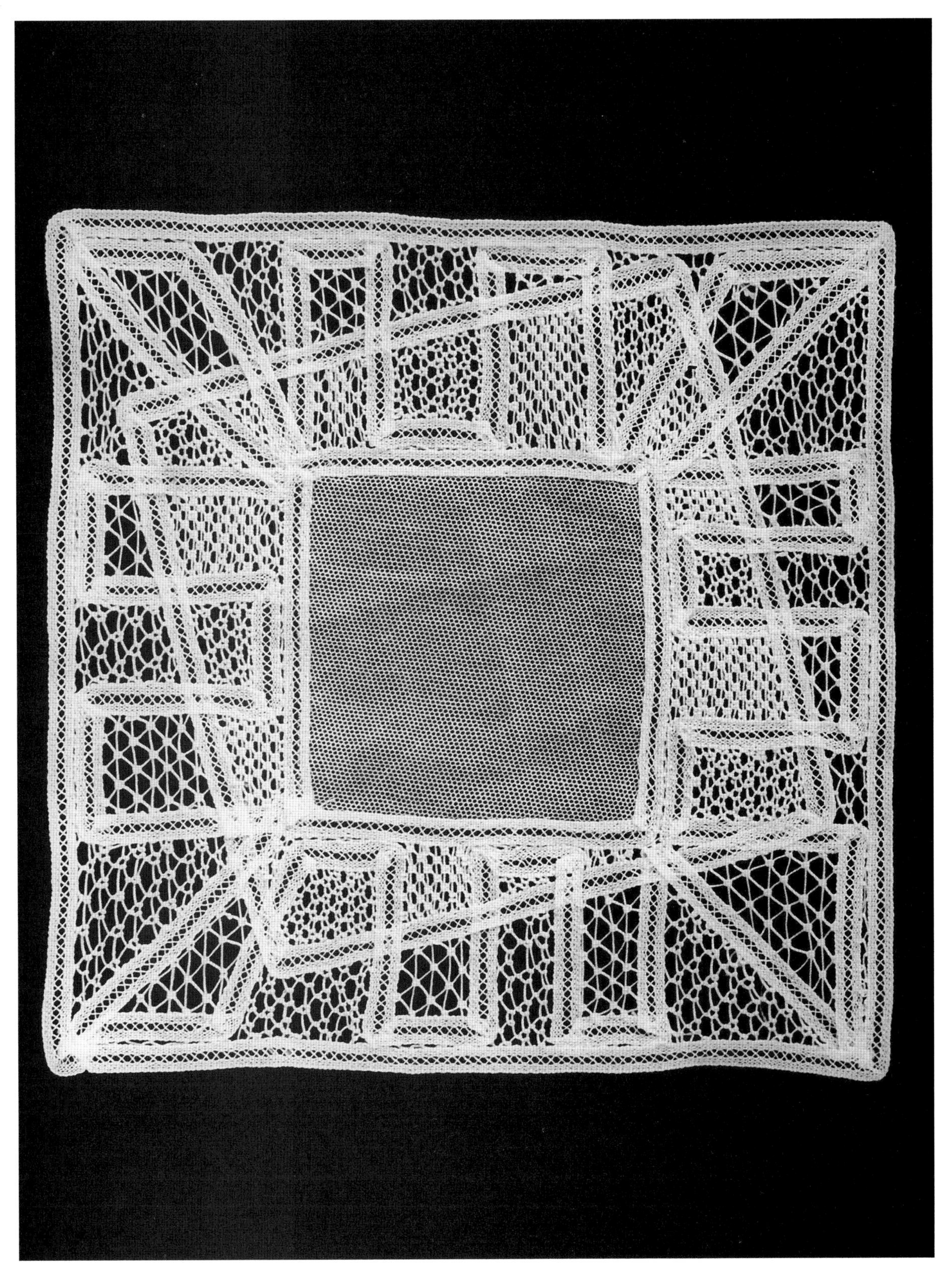

Art Deco

Butterfly
Papillon
Schmetterling

Tracing the Pattern

When using light-coloured tape and thread it is best to use a dark-coloured flexible paper for the background. The pattern can then be copied using white carbon paper (fig. a). For dark-coloured tape and thread, choose a white background, for example a photocopy of your pattern. See fig. b.

The right side of your lace should be facing the pattern. If your pattern tracing is not colour fast, cover it with matt-finish, transparent adhesive plastic or with thin tracing paper. In most cases a single sheet of paper will not be strong enough to work on and a second piece of flexible paper or thin cotton fabric should be basted behind the pattern.

Fig. a

Fig. b

Décalque du Patron

Lorsque vous utilisez du lacet et du fil de couleur légère, le meilleur fond pour réaliser la dentelle est un morceau de papier souple de couleur foncée. Vous pouvez dès lors décalquer le patron à l'aide de papier carbone blanc (fig. a). Lorsque vous utilisez du ruban et du fil de couleur foncée, le fond pourra être en papier blanc, p.ex. un polycopié de votre patron. Voir fig. b.

Votre ouvrage est posé le bon côté sur le patron. Si les lignes de votre patron ne sont pas inaltérables, couvrez votre patron d'une couche de plastique adhésif transparent et mat ou de papier transparent mince. Dans la plupart des cas une seule couche de papier sera trop faible pour soutenir votre travail. Une seconde feuille de papier souple ou un morceau de coton léger est généralement faufilé sous le patron.

Das Übertragen des Musters

Bei Verwendung heller Litzen und Fäden ist schmiegsames Papier in einer dunklen Farbe der beste Untergrund zur Herstellung der Spitze. Das Mustermotiv können Sie dann mit Schneider-Kopierpapier übertragen (Fig. a). Bei Verwendung dunklen Materials ist weisses Papier, z.B. eine Fotokopie Ihres Musters, eine gute Unterlage. Siehe Fig. b.

Die rechte Seite der Spitze liegt auf dem Muster. Sind Ihre Musterlinien nicht farbecht, überkleben Sie das Muster mit selbstklebender Mattfolie oder dünnem Transparentpapier. In den meisten Fällen wird das einzelne Blatt Papier als Untergrund nicht fest genug sein. Deshalb wird normalerweise ein zweites Stück schmiegsames Papier oder dünner Baumwollstoff hinter dem Muster mitgeheftet.

Christmas decoration
Décoration de Noël
Weihnachtsschmuck

Christmas decoration
Décoration de Noël
Weihnachtsschmuck

Other Ways of Copying the Pattern

Prior to the availability of carbon paper and photocopiers, patterns were copied by 'rubbing'. An original pattern was placed on a piece of paper and small holes were pierced with a needle along the pattern lines so that the pattern was reproduced as dotted lines on the paper beneath. This paper was used as the mastercopy from which to transfer the pattern to the working paper. Chalk, carbon, diluted paint or printing ink was rubbed across the copy, either using the fingers or a rag, and in this way the original pattern was reproduced as dots ready for use. Many identical copies could be made from the mastercopy, and the original pattern would not wear out. Nowadays an implement is available to pierce the pattern lines quickly and efficiently.

In the absence of a pattern, lace could be copied by placing a piece of paper on top and rubbing over it with carbon, a lead pencil or black wax, so that the pattern lines became visible. The stitches would be copied directly from the lace.

Another method involved the use of light-sensitive paper. This was placed on a layer of felt (light-sensitive side upward) and covered with a glass plate. The felt, paper, the lace and glass were then put inside a specially constructed box, pressed down firmly and fixed with springs or clips. Then, with the glass plate facing upward, they were exposed to the light. The uncovered parts of the white paper turned blue under the light, and those parts covered by the lace remained white. When the desired intensity of blue had been reached, the pattern was removed from the box and dipped in water to fix the colour.

Autres Façons de Reproduire le Patron

A l'époque où le papier et les copieurs n'avaient pas encore été inventés, les patrons étaient reproduits par 'friction'. Les lignes d'un patron existant étaient d'abord piquées dans une feuille de papier qui servait de matrice. Le papier ou l'étoffe sur laquelle on voulait travailler étaient placés sous ce 'patron piqué', puis les lignes du patron étaient passées à la craie, au charbon de bois, à la peinture diluée ou à l'encre d'imprimerie en frottant avec les doigts ou un torchon. Ainsi les lignes du patron étaient reproduites en pointillé sur le matériel sousjacent et l'opération pouvait être répétée plusieurs fois sans jamais user le patron original. Plus tard on a construit un appareil qui a permis d'accélérer le piquage des patrons.

Quand on ne disposait pas du patron, un modèle pouvait être copié en posant une feuille de papier sur la dentelle originale et en la 'frottant' à l'aide d'un crayon, de charbon de bois ou de cire noire jusqu'à ce que les lignes du patron apparaissaient. Les points à dentelle étaient copiés de la dentelle originale.

Andere Verfahren zur Musterübertragung

Damals, als Kohlepapier und Kopiermaschine noch zu erfinden waren, wurden die Spitzenmuster durch 'Reibung' übertragen. Von einem existierenden Muster wurde zunächst ein Matrizenblatt mit den Musterlinien gesteckt. Unter dieses 'gesteckte' Muster wurde das zu bearbeitende Papier oder Tuch gelegt. Dann wurde mit den Fingern oder mit einem Läppchen Kreide, Holzkohle, verdünnte Farbe oder Druckerschwärze über die Musterlinien gerieben, bis auf dem unterliegenden Material ein neues Muster mit punktierten Musterlinien entstand. Auf diese Weise konnte man ein Muster mehrmals übertragen, ohne das Originalmuster abzunutzen. Später wurde ein Gerät entwickelt, mit dem es möglich wurde, die Musterlinien schneller zu 'stecken'.

Wenn kein Muster vorhanden war, wurde ein Papier auf die Originalspitze gelegt und wurde mit Holzkohle, Bleistift oder schwarzem Wachs gerieben bis die Musterlinien erschienen. Die Stiche wurden der Originalspitze nachgemacht.

Pricking tool
Appareil à piquer
Stechgerät

Right: An antique pattern
A droite: Patron ancien
Recht: Altes Muster

D'autre part il était possible de reproduire le patron d'une dentelle existante à l'aide de papier héliographique. Dans une cuve spécialement conçue à cet effet, on superposait successivement une couche de feutre, le papier héliographique (le côté sensible vers le haut), la dentelle, et pour terminer une plaque de verre. Le tout était mis sous pression et tenu en place par des ressorts ou des pinces, puis le côté de la plaque de verre était exposé à la lumière. Les parties non-couvertes du papier ont bleui sous l'influence de la lumière. Les parties couvertes par la dentelle ont gardé leur couleur blanche. Lorsque le bleu avait atteint l'intensité désirée, le patron était sorti de la cuve et plongé dans l'eau afin de fixer la couleur.

Eine weitere Möglichkeit zur Musterübertragung eines Spitzenstückes war die Verwendung lichtempfindlichen Papiers. In einen speziell dazu geeigneten Behälter wurden nacheinander ein Stück Filz, das Papier (mit der lichtempfindlichen Seite nach oben), die Spitze und schliesslich eine Glastafel gelegt. Das Ganze wurde fest angedrückt, mit Federn oder Klemmen befestigt und nachher mit der Glastafel nach oben dem Licht ausgesetzt. Die unbedeckten Teile des weissen Papiers wurden unter Einwirkung des Lichtes blau; die von der Spitze bedeckten Teile blieben weiss. Als die gewünschte Blau-Intensität erreicht war, wurde das Muster aus dem Behälter geholt und zum Fixieren der Farbe in Wasser getaucht.

Flowers
Fleurs
Blumen

Sampler
Echantillon
Vorübung

Preparing the Tape

Most patterns will indicate the length of tape required, but if yours does not, measure it with a cotton thread or cord. Remember to measure the outsides of the curves. Round the total upwards.

Lace Tape

There are two types of lace tape: straight-edged tape (see fig. a, left) and tape woven on the bias with a gathering thread in the selvage (see fig. a, right). The tape is folded and gathered to follow the lines of the pattern.

Fig. a

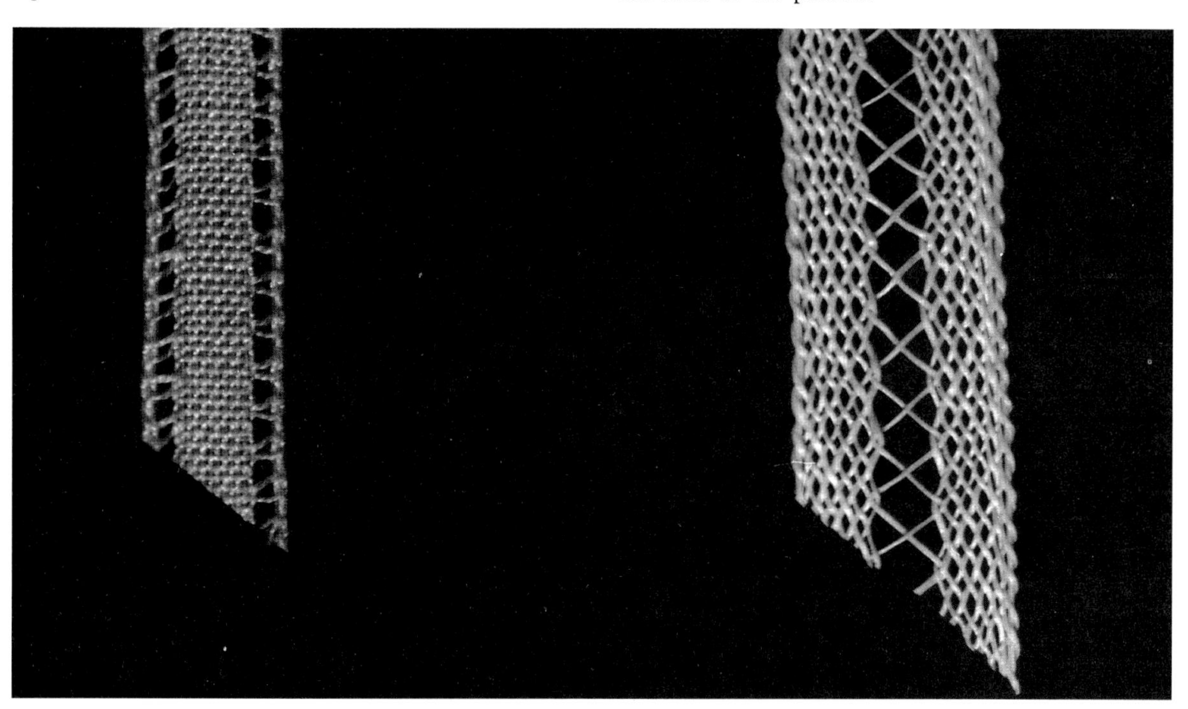

Préparation du Lacet

Dans la plupart des cas votre patron indiquera la quantité de lacet requise. Si ce n'est pas le cas il faudra mesurer la longueur à l'aide d'un fil de coton ou d'une ficelle. En prenant les mesures il faut suivre les courbes extérieures. Arrondir amplement la longueur mesurée au chiffre supérieur.

Lacet pour dentelles

Il y a deux types de lacets pour dentelles: un lacet uni à lisière droite (voir fig. a, à gauche) et un lacet tissé en biais composé de fils d'étirage entrelacés dans les lisières (voir fig. a, à droite). Le lacet est couché sur les lignes du patron par des plis et des fronces.

Vorbereiten der Litze

In den meisten Fällen ist auf Ihrem Muster die benötigte Litzenmenge angegeben. Wenn nicht, dann muss mit einem Baumwollfaden oder Schnürchen die benötigte Länge abgemessen werden. Beim Abmessen die Aussenseiten der Kurven berücksichtigen. Die abgemessene Länge reichlich nach oben abrunden.

Spitzenbändchen

Es gibt zwei verschiedene Litzensorten. Geradegewebte Litze (siehe Fig. a, links) und schräggewebte Litze mit einem Ziehfaden im Rand (siehe Fig. a, rechts). Durch Falten und Verringern wird die Litze passend zu den Musterlinien gelegt.

Straight-edged Tape

The insides of the curves can be smoothed out in two ways. One method is to make small overcast stitches in the holes on the edge of the tape while sewing the intersections. Then pull the thread at the end of the curve (see fig. b, left). Alternatively, you can pull a thread out of the selvage and smooth out the curve as you do so (see fig. b, right).

Tape with a Gathering Thread

When using tape with gathering thread, knot the thread at the end to ensure that it does not disappear into the tape. Loosely gather about a metre of *one side* of the tape only and baste this piece to the pattern. Then pull the gathering thread out of the tape with a pin, loosely gather another metre, and so on for the rest of the pattern (see fig. c). If your tape resembles fig. d,

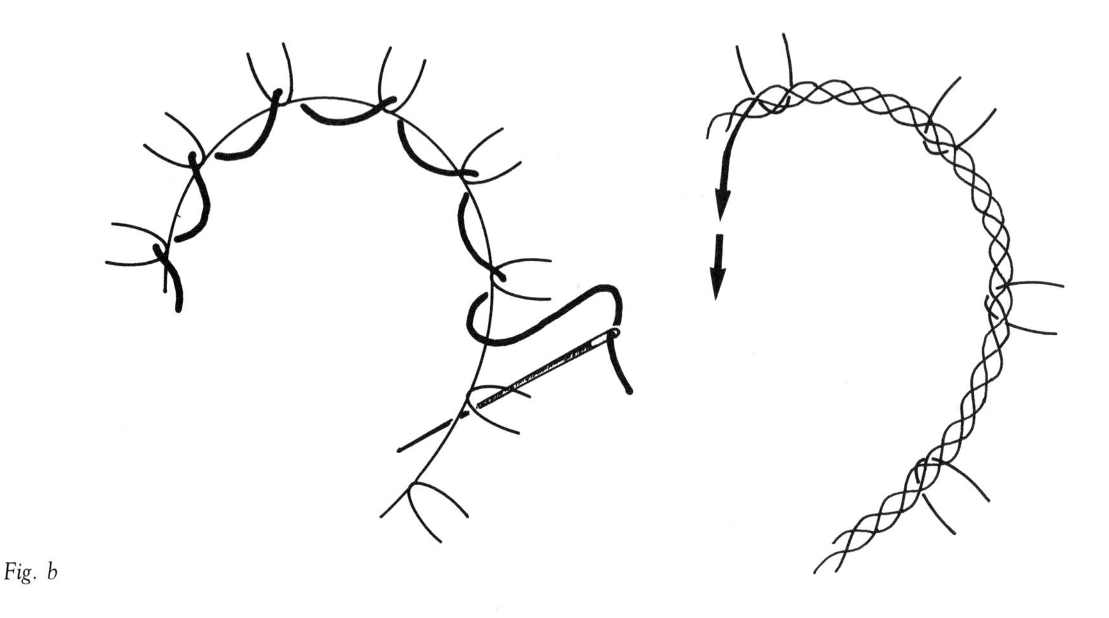

Fig. b

Lacet à lisière droite

Les bords intérieurs des courbes peuvent être arrondis de deux manières différentes. Pendant la couture des intersections, faites de petits points de surjet dans les trous de la lisière intérieure d'une boucle, puis resserrez le fil à la fin de cette boucle (voir fig. b, à gauche). Ou bien, retirez un des fils de la lisière et resserrez celui-ci (voir fig. b, à droite).

Lacet à fil d'étirage

Afin d'empêcher que le fil d'étirage disparaisse dans le lacet, il faudra mettre des noeuds aux extrémités. Froncez le lacet légèrement *d'un côté*, sur une longueur d'un mètre tout au plus. Couchez cette partie sur le patron. Puis, à une distance d'un mètre, tirez le fil d'étirage hors du lacet avec une épingle. Froncez légèrement cette nouvelle partie etc (voir fig. c). Si votre lacet se présente comme fig. d, vous avez tiré sur les deux fils d'étirage en même temps. Découpez la partie mal réussie et recommencez.

Gerade Litze

Die Rundungen können am engeren Rand der Litze auf zweierlei Weisen geglättet werden. Beim Nähen der Verbindungen machen Sie in den Löchern des engeren Litzenrandes kleine Überwindlingstiche. Am Ende der Rundung wird der Faden angezogen (siehe Fig. b, links). Andererseits können Sie auch einen Faden aus der Webekante herausziehen und damit die Rundung glätten (siehe Fig. b, rechts).

Litze mit Ziehfaden

Damit Sie nicht Gefahr laufen dass der Ziehfaden in der Litze verschwindet, machen Sie am besten vor dem Anfang Knoten in den Ziehfaden. *Eine Seite* der Litze über eine Länge von höchstens einem Meter nicht allzu kräftig einziehen und dieses Stück aufheften. Ein Meter weiter den Ziehfaden mit einer Nadel aus der Litze herausziehen und dieses nächste Stück leicht einziehen usw. (siehe Fig. c). Sieht die Litze wie Fig. d aus, dann haben Sie gleichzeitig zwei Ziehfäden angezogen.

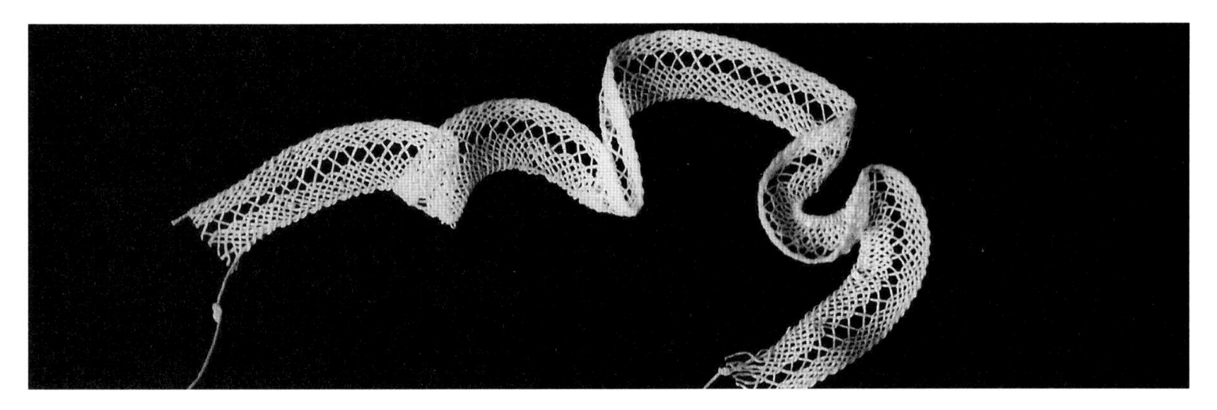

Fig. c

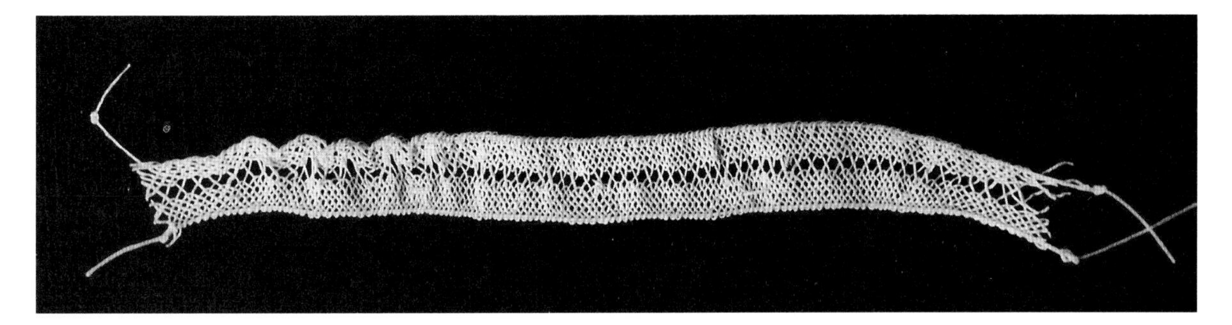

Fig. d

you have pulled both the gathering threads at the same time! Cut out this piece and start again.

If a curve is not round or flat enough, the gathering thread can be tightened. Find an intersection and pull the thread out of the tape with a pin. Tighten until the curve is satisfactory (see fig. e). Tuck the threads in between the intersection and finish off.

Couch your pattern as far as possible with one length of tape. You should try to make at least the motifs using a continuous tape.

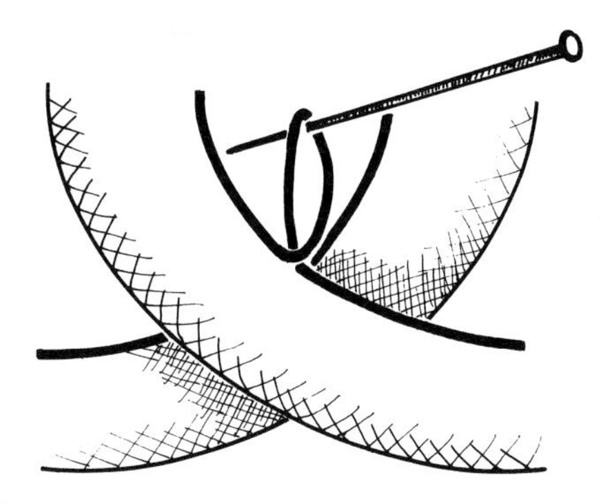

Fig. e

Si nécessaire, p.ex. si une courbe n'est pas assez arrondie ou plate à votre goût, il faut resserrer le fil d'étirage. Près d'un croisement de lacets vous retirez le fil avec une épingle et le resserrez jusqu'à ce qu'il prenne la courbe voulue (voir fig. e). Ecartez les fils en les cachant dans le croisement des lacets.

Composez votre patron d'une seule longueur, si possible. Essayez-le en tout cas dans les motifs.

Schneiden Sie das verpfuschte Stück weg und versuchen Sie es aufs Neue.

Wenn nötig, z.B. falls die Rundung eines Bogens Ihrer Meinung nach nicht genügt, kann der Ziehfaden in der Nähe einer Litzenkreuzung weiter angezogen werden. Mit einer Nadel den Ziehfaden aus der Litze herausziehen. Anziehen bis die gewünschte Rundung erreicht wird (siehe Fig. e). Die Fäden werden innerhalb einer Litzenkreuzung weggearbeitet.

Legen Sie Ihr Muster möglichst aus einem Litzenstück. Versuchen Sie es auf jeden Fall mit den Motiven.

Shaping the Tape

1 A row of loops: the loops *must* touch each other (**a**) and at each intersection the tape must cross over in the same way (**b**).

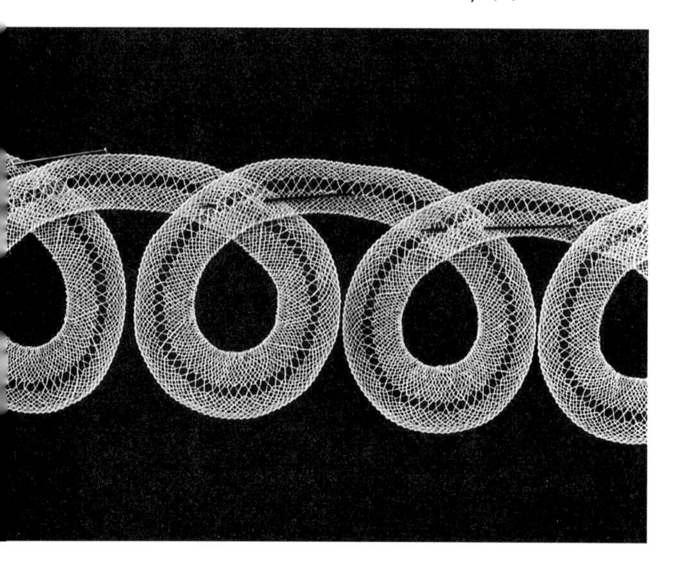

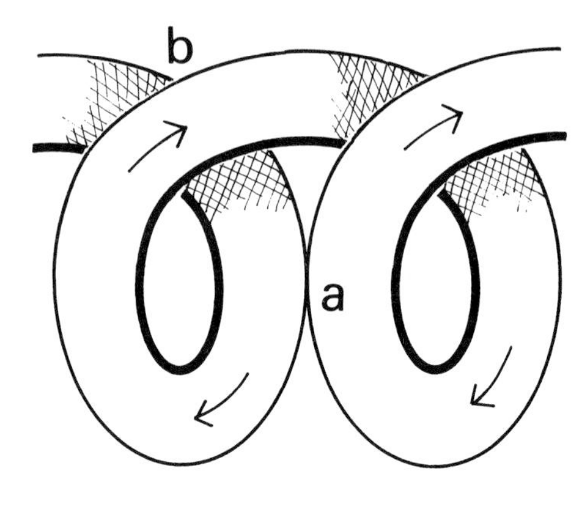

Modelage du Lacet

1 Une rangée de boucles: il *faut* que les boucles se touchent (**a**) et qu' à chaque intersection le lacet soit croisé de la même façon (**b**).

Gestalten der Litze

1 Eine Spirallinie: die Bögen *sollen* sich jeweils berühren (**a**). Jede Litzenkreuzung soll auf gleiche Weise geschehen (**b**).

Movements
Mouvements
Bewegungen

2 A small loop: the centre must be closed (**c**).

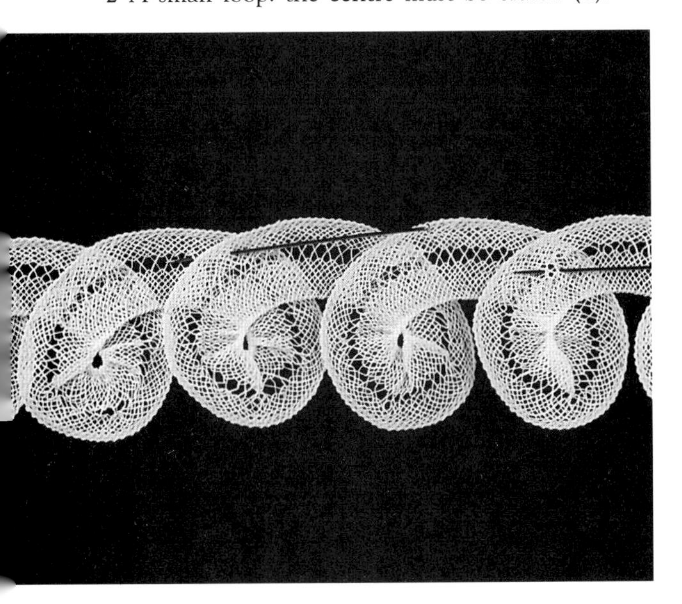

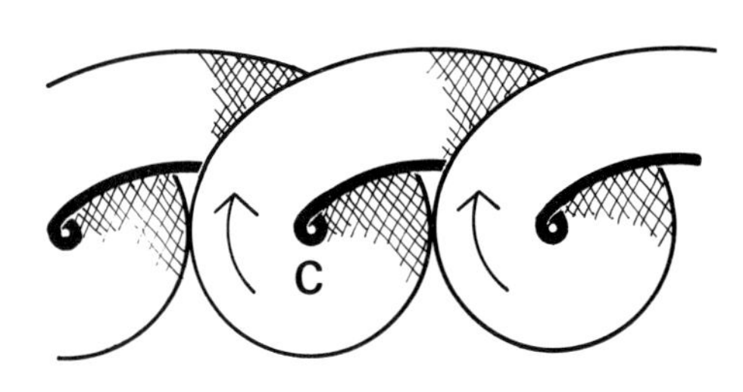

3 A small loop at the beginning of the tape: with the protruding gathering thread, make a knotstitch round the tape end and secure (**d**).

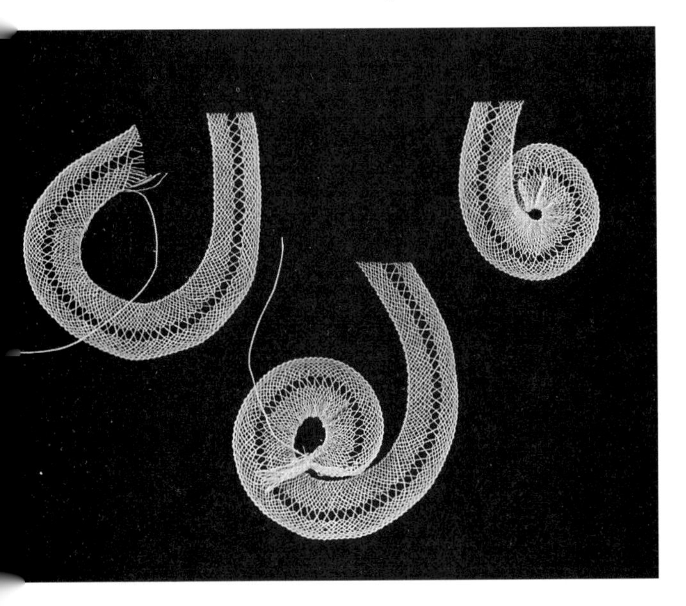

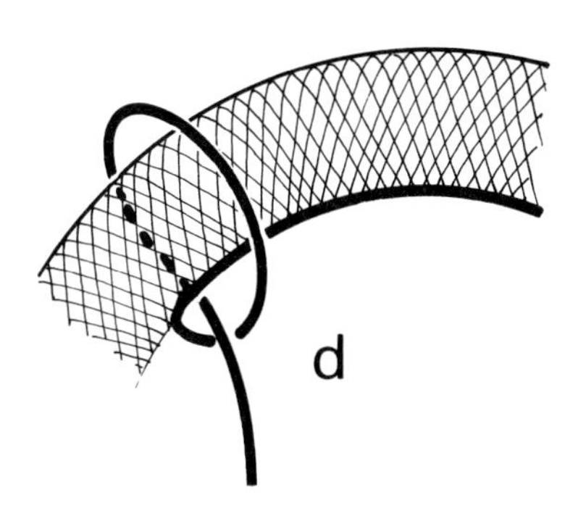

---

2 Petite boucle: il faut que le centre soit bien fermé (**c**).

3 Petite boucle au début du lacet: à l'aide du fil d'étirage dépassant, faites une boucle autour du bout du lacet, puis serrez et fixez par un noeud (**d**).

2 Ein kleiner Bogen: Ziehfaden gut anziehen, so dass in der Mitte keine Öffnung mehr vorkommt (**c**).

3 Kleiner Bogen am Anfang der Litze. Mit dem hinausragenden Ziehfaden eine Schlinge legen, anziehen und mit einem Knoten befestigen (**d**).

4 A plait where many lines meet (**e**).

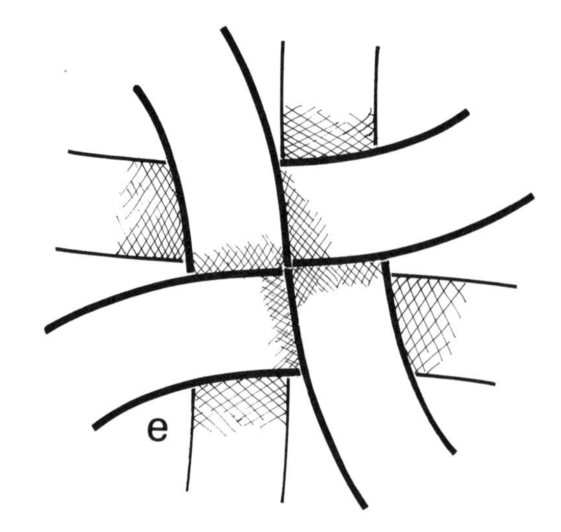

5 Use the gathering thread on the other side of the tape (**f**). If the next loop or wave changes direction, gather just enough for one loop or wave only.

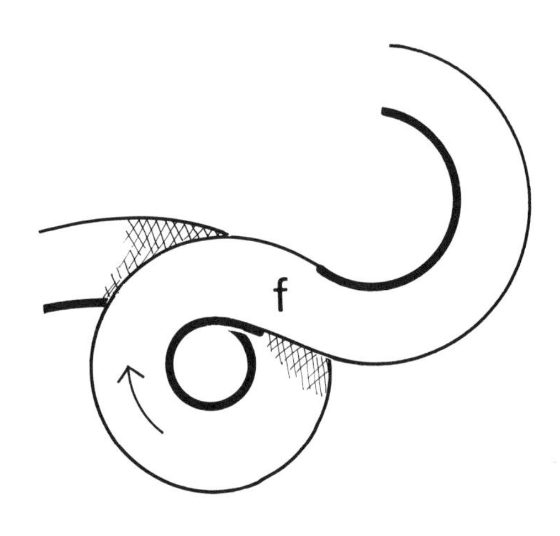

---

4 Entrelacez aux endroits où plusieurs lignes se joignent (**e**).

5 Si une courbe ou onde change de direction, employez le fil d'étirage de l'autre côté du lacet. Froncez et faufilez chaque courbe séparément (**f**).

4 Flechten Sie die Litze am Treffpunkt vieler Musterlinien (**e**).

5 Jedes Mal wenn eine Welle oder ein Bogen die Richtung ändert, mit dem Ziehfaden auf der anderen Seite der Litze weitergehen. Jede Rundung separat einziehen und aufheften (**f**).

6 An alternative to no. 5: fold the tape back (**g**). This does not, however, produce such a neat result.

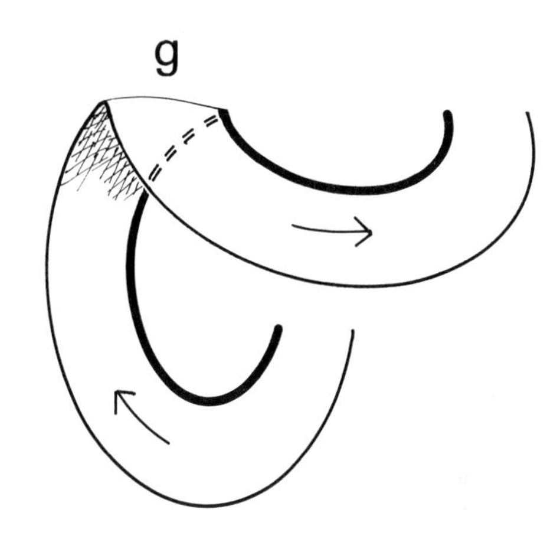

7 A simple fold (**h**).

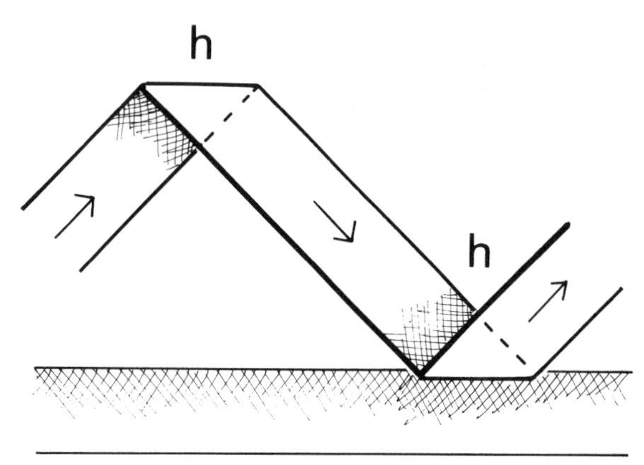

6 Une variante au no. 5 : repliez le lacet (**g**). Le résultat est toutefois moins élégant.

7 Un pli simple (**h**).

6 Eine Alternative zu nr. 5: biegen Sie die Litze um (**g**). Das Resultat ist jedoch weniger elegant.

7 Eine einfache Falte (**h**).

8 A corner on a scalloped edge (**j**).

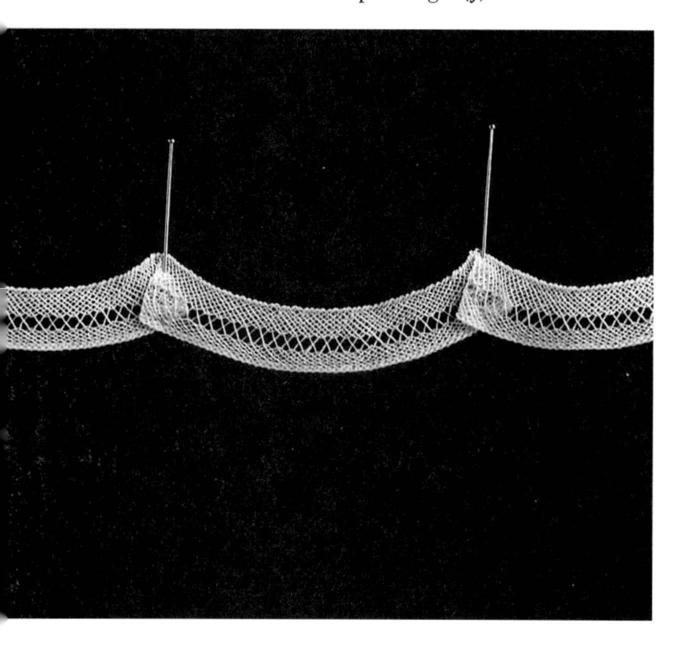

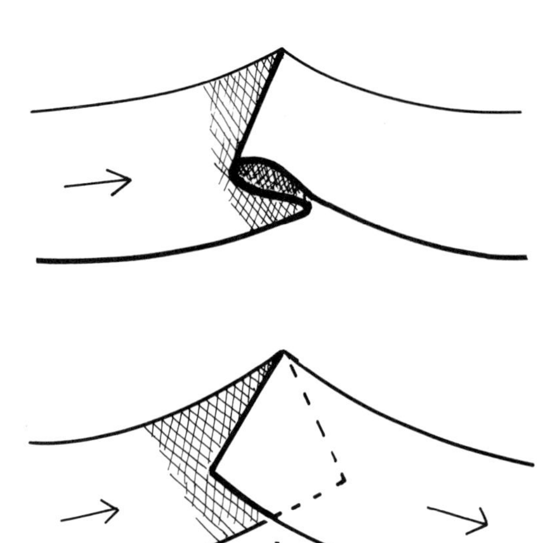

9 A corner at a right angle (**k**).

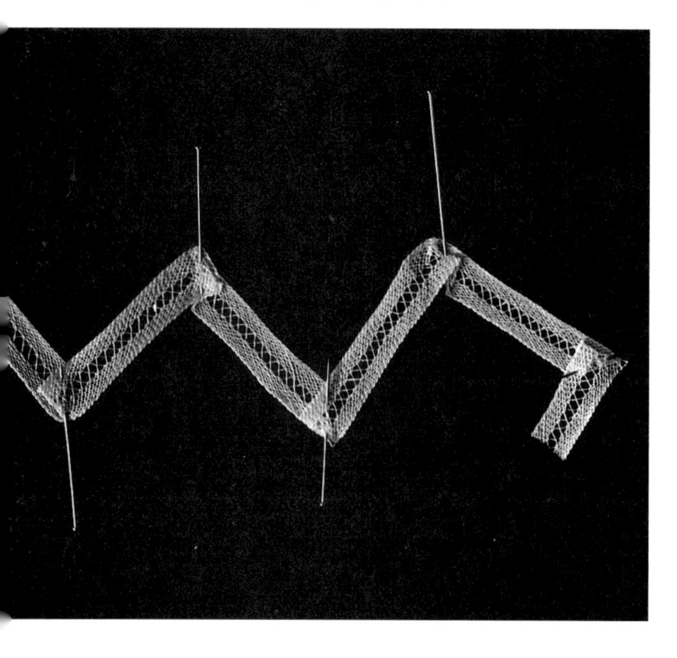

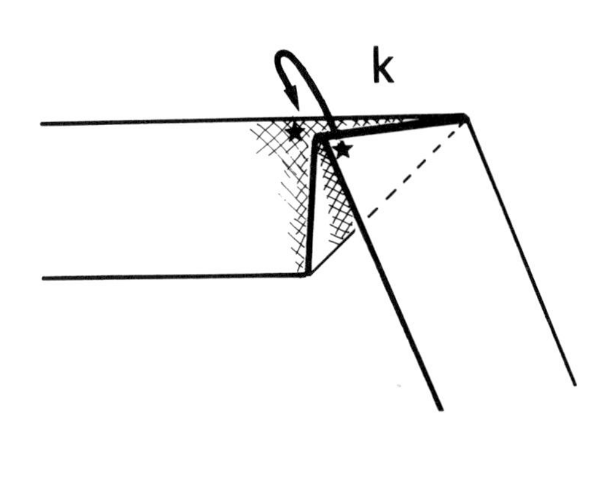

8 Angle d'un bord échancré (**j**).

9 Le pli d'un angle de 90 degrés (**k**).

8 Eine Falte in einem muschelartigen Rand (**j**).

9 Falten eines rechten Winkels von 90 Grad (**k**).

10 A small corner at an intersection. Make the first fold (**L1**). To make the second fold (**L2**), lay * on *.

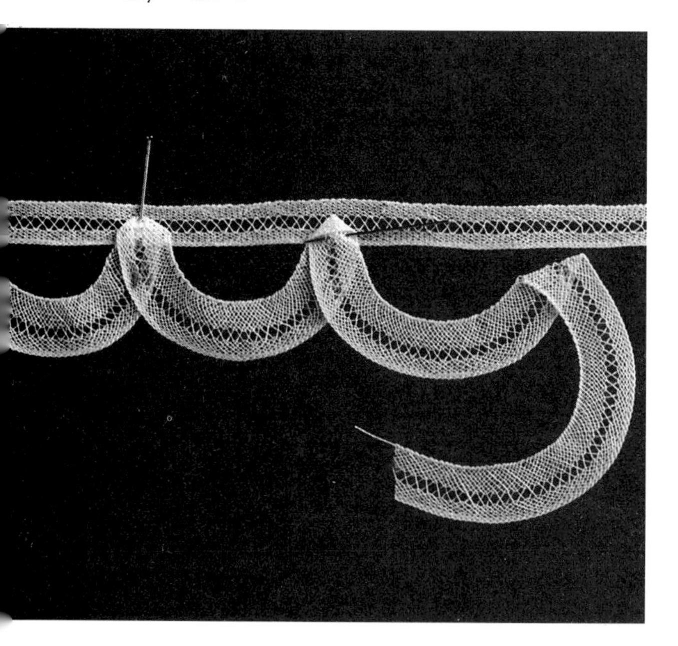

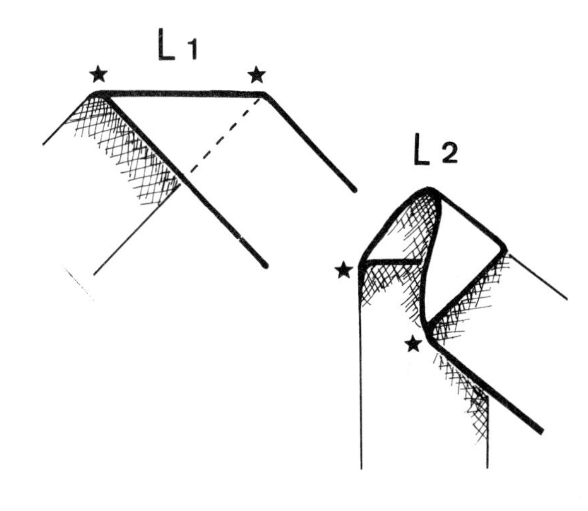

11 A large corner at an intersection (**m**).

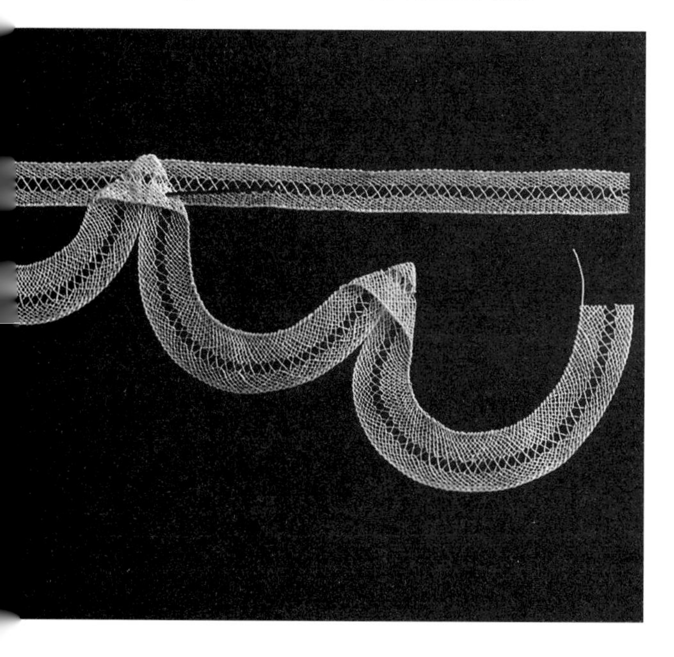

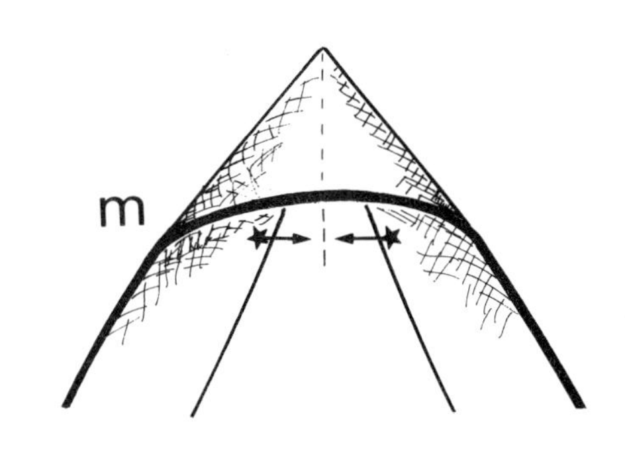

---

10 Le pli d'un angle aigu dans une jonction. Premier pli: voir **L1**. Deuxième pli (**L2**): mettez * sur *.

11 Le pli d'un angle plus large dans une jonction (**m**).

10 Falten eines kleinen Winkels zur Verbindung. Erste Falte: siehe **L1**; zweite Falte (**L2**) * auf * legen.

11 Falten eines grossen Winkels zur Verbindung (**m**).

12 A flower or circle: to find the length of tape required, multiply the width of the tape by seven, then add 2 cm. ($^3/_4$ in.) for the hem. Undo the first centimetre of gathering thread and pull up the required length. Sew line **n–n** to **o–o** and neaten ends.

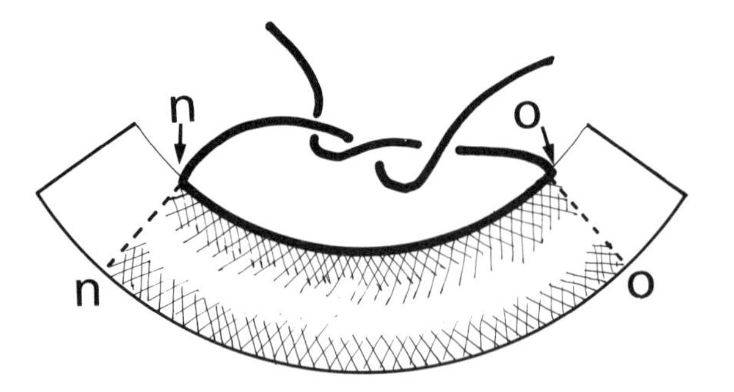

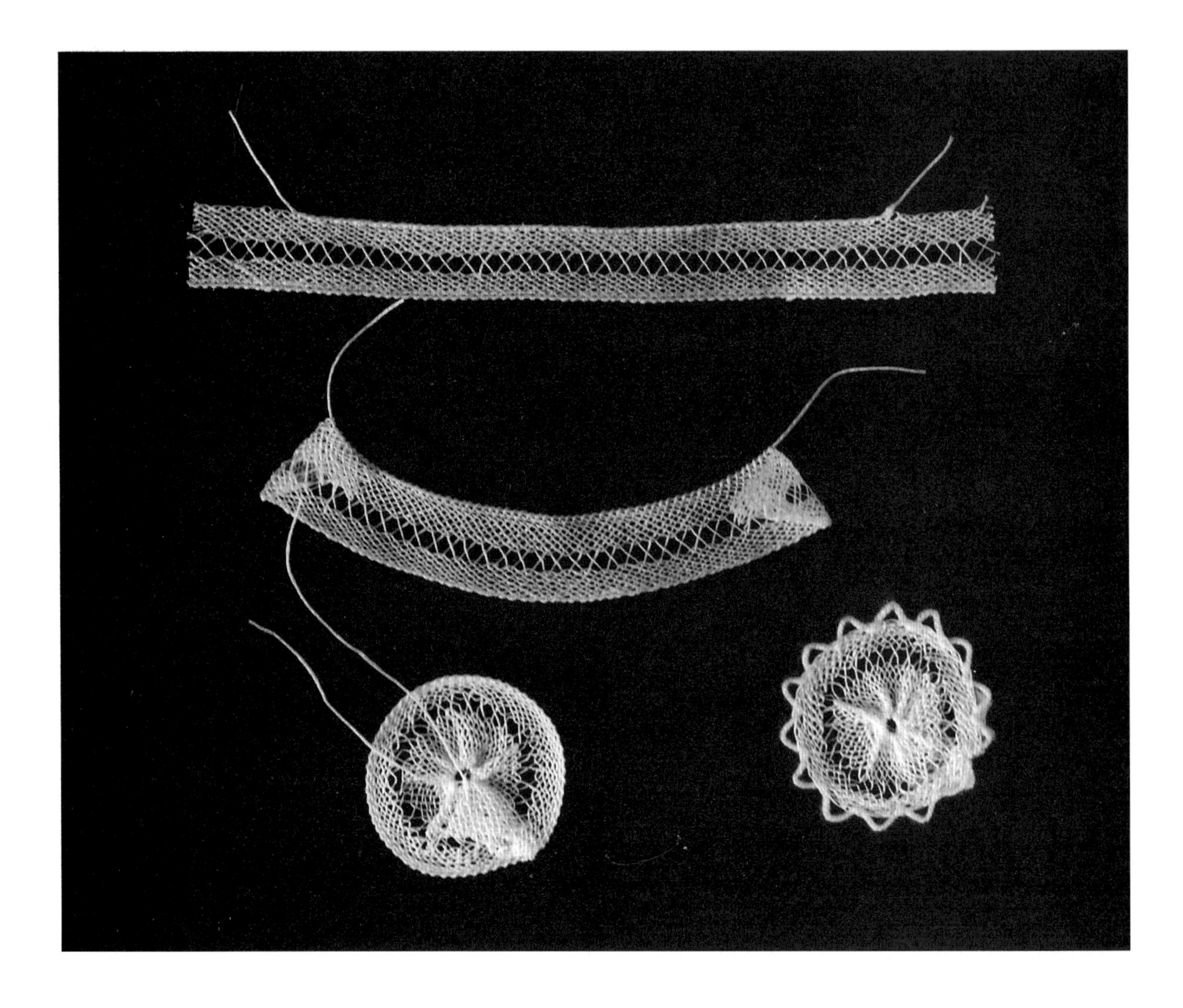

12 Une fleur ou un cercle: afin de déterminer la quantité de lacet nécessaire, multipliez la largeur du lacet par sept, puis ajoutez 2 cm pour l'ourlet. Retirez le fil d'étirage sur un centimètre et froncez la longueur effective. Cousez la ligne **n–n** sur la ligne **o–o** et écartez les bouts.

12 Eine Blume oder ein Kreis: zur Berechnung der benötigten Länge nehmen Sie sieben mal die Litzenbreite und fügen 2 cm für den Saum hinzu. Ein Zentimeter des Ziehfadens aus der Litze herausziehen und die benötigte Länge einziehen. Linie **n–n** auf Linie **o–o** nähen und die Enden abarbeiten.

Rondo

Pinning the Tape

It is not necessary to pin the tape before basting, but you will find this makes it easier to correct mistakes. The disadvantage to pinning, however, is that the thread often gets hooked behind a pin while the tape is being basted. If you decide to pin the tape, remember not to use too many pins. Pin part of the tape, baste it, pin again, and so on to the end of the tape.

Epinglage du Lacet

Il n'est pas nécessaire d'épingler le lacet avant de le faufiler, mais vous constaterez que cette méthode permet plus facilement de corriger une petite faute. Un inconvénient de l'épinglage est cependant que le fil s'accroche souvent aux épingles au cours du faufilage. Si vous optez pour l'épinglage du lacet, n'utilisez pas trop d'épingles. Commencez par épingler une partie du lacet, faufilez cette partie, puis épinglez la partie suivante, et ainsi de suite jusqu'à la fin du lacet.

Aufstecken der Litze

Es ist nicht erforderlich, die Litze vor dem Heften aufzustecken, aber Sie werden merken, dass ein Fehler auf diese Weise schneller berichtigt werden kann. Der Nachteil beim Aufstecken ist jedoch, dass der Faden beim Heften oft hinter den Stecknadeln hängen bleibt. Wenn Sie sich trotzdem für das Aufstecken entscheiden, verwenden Sie möglichst wenig Stecknadeln. Ein Teil der Litze wird aufgesteckt und geheftet. Dann wieder aufstecken, heften usw. bis zum Ende der Litze.

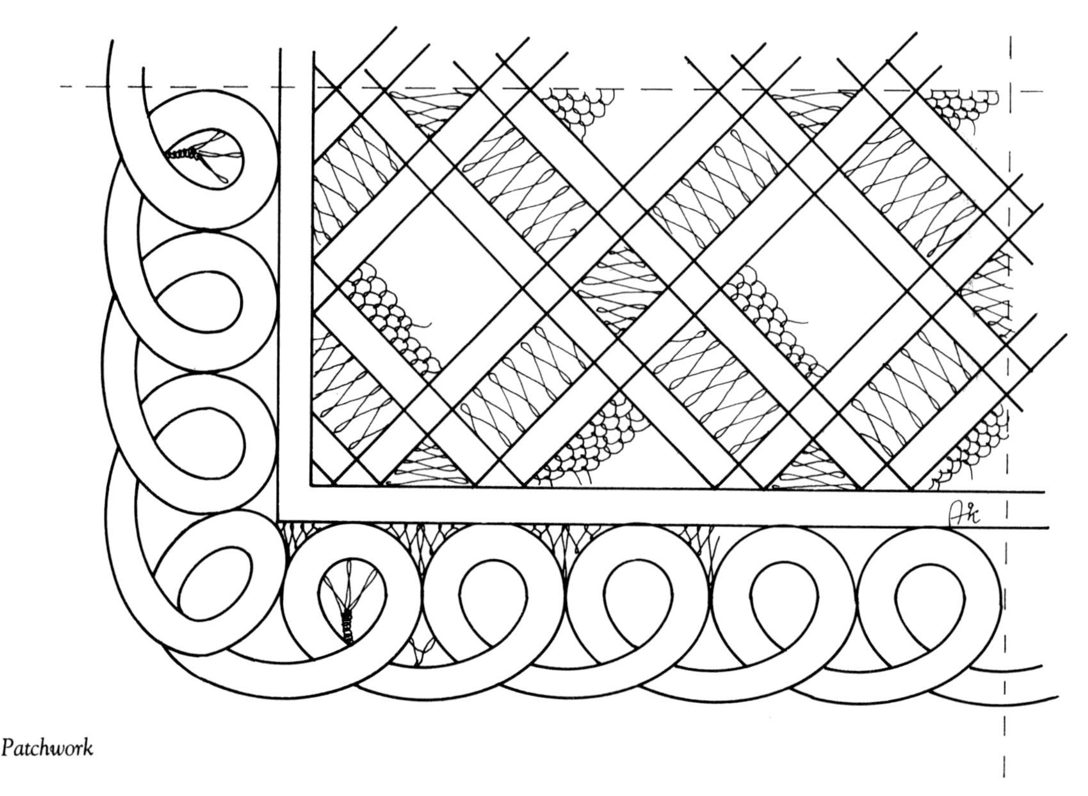

Patchwork

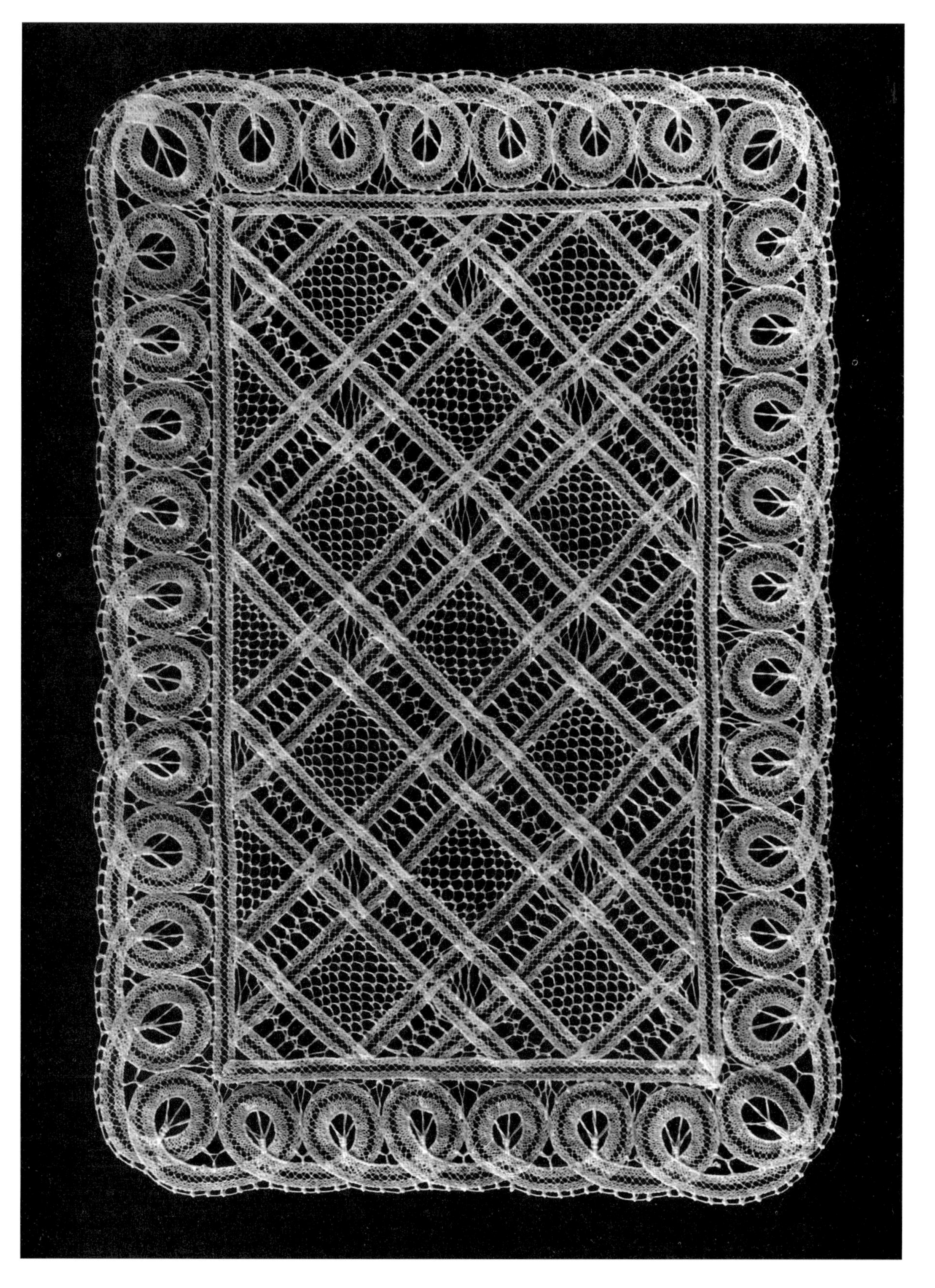

Basting

Always start after an intersection when pinning and basting. Fold back 2 cm. ($^3/_4$ in.) of the tape and pin or baste from that fold. Baste with tiny stitches, working lengthwise (1) or across (2) the width of the tape. Keep to the outsides of curves (1) and cross over if necessary (see fig. a). The basting thread is the only thread that goes through all the layers of the pattern. Note that the basting stitches are not permanent; you must therefore choose a basting thread in a colour that will show easily on your tape or cord, and start and finish the thread at the back of your work (see fig. b).

Fig. a

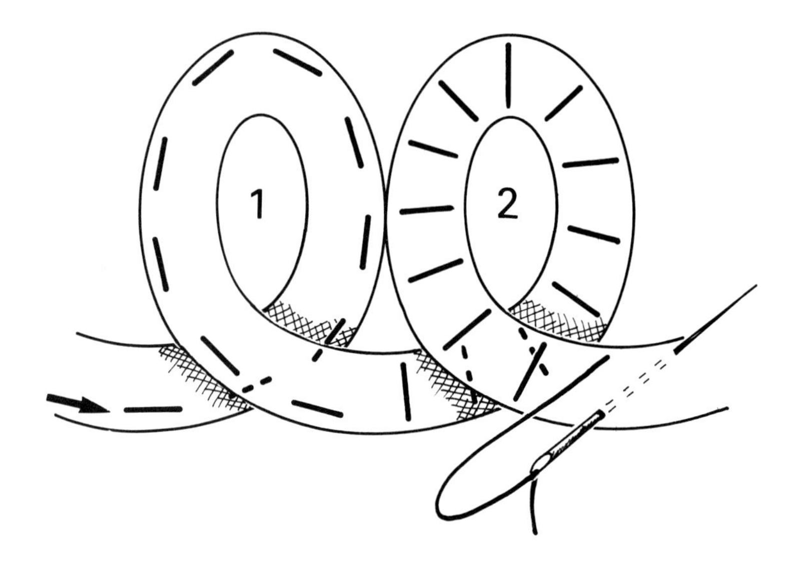

Faufilage

Commencez toujours à épingler et faufiler après une intersection de lacets. Il faut d'abord rabattre 2 cm. au départ du lacet. Faufilez ou épinglez à partir de ce pli. Faufilez par de petits points. Faites les points de bâti dans le sens de la longueur (1) ou de la largeur (2) du lacet. Faufilez le côté extérieur de chaque boucle (1), croisez si nécessaire, (voir fig. a). Le faufil est le seul à passer à travers toutes les couches du patron. Les points de bâti ne sont pas permanents. Faufilez donc avec un fil dont la couleur fait contraste à votre lacet ou cordon. Raccordez et arrêtez le faufil du côté envers de votre ouvrage (voir fig. b).

Vorheften

Der Anfangspunkt zum Aufstecken und Heften soll immer so gewählt werden, dass er nach einer Litzenkreuzung fällt. Am Anfang der Litze biegen Sie etwa 2 cm. um und fangen an diesem Punkt mit dem Heften oder Aufstecken an. Heften Sie mit möglichst kleinen Stichen. Machen Sie Heftstiche der Länge nach (1) oder über die Breite (2) der Litze. Heften Sie an der Aussenseite jedes Bogens (1) und wenn notwendig können Sie überqueren (siehe Fig. a). Der Heftfaden ist der einzige, der durch alle Schichten des Musters hindurchgeht. Die Heftstiche sind nicht bleibend. Verwenden Sie deshalb einen Heftfaden in einer mit Ihrer Litze oder Schnur kontrastierenden Farbe. Der Heftfaden wird an der Hinterseite Ihres Werkstückes verbunden und verschlungen (siehe Fig. b).

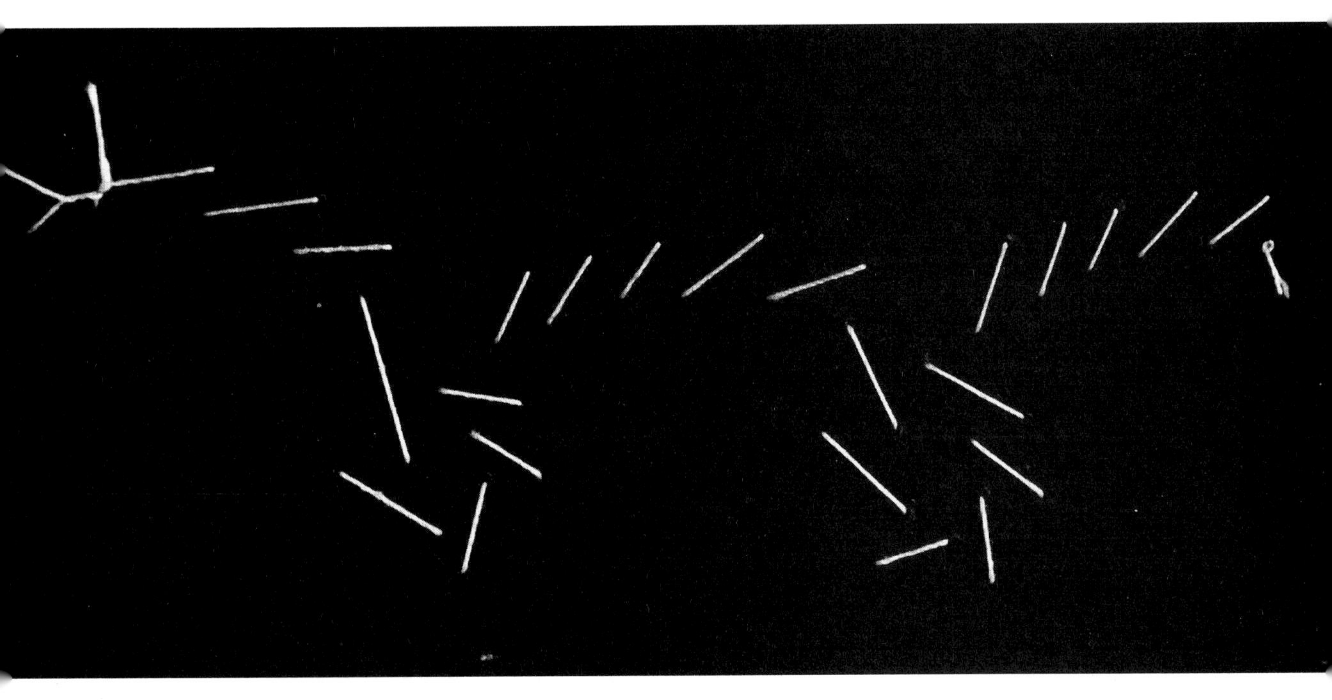

Fig. b
Basting stitches at the back of the work
Points de faufilage à l'envers de l'ouvrage
Heftstiche an der Hinterseite des Werkstückes

Europe '92

Sewing Intersections

Where tapes meet, overlap or are folded, sew them together with small invisible stitches. Choose a sewing thread the same colour as the foundation material and use a sewing needle. Do not sew through the pattern. In order to avoid unnecessary sewing on and casting off, weave the thread through the tape from one side of the work to the other.

Where necessary, keep the hem below the open section in the middle of the tape. Baste the entire length of the tape onto the pattern and sew all intersections before starting the needlepoint lace stitches.

When starting or finishing off the tape, sew the tape end to the edge of the underlying tape (see diagram, left). Secure the gathering thread with two stitches to avoid losing it in the tape. Fold and cut part a to the same size as the underlying tape. Use a sharp pair of scissors because the tape unravels easily. Now sew sides 2, 3 and 4 of the folded piece to the underlying tape (see diagram, right).

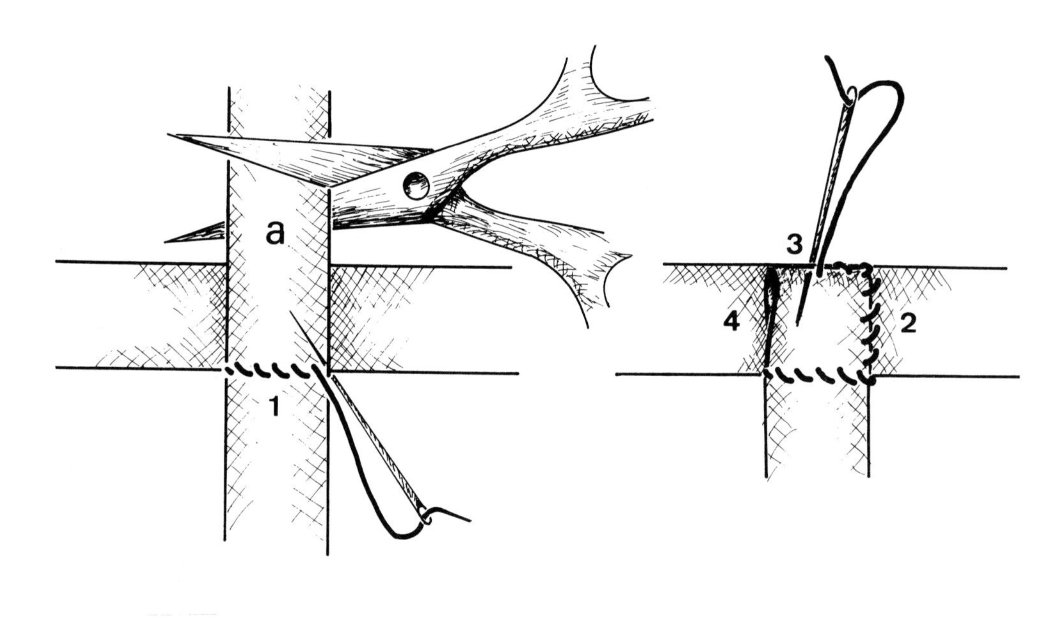

Couture des Intersections

Aux endroits où les lacets se chevauchent, se rejoignent et se replient, il faut les réunir entre eux par de petits points invisibles. Choisissez un fil à coudre qui s'harmonise bien avec votre matériel de base et utilisez une aiguille à coudre. A présent vous ne passez plus au travers du patron. Evitez autant que possible d'arrêter ou de raccorder le fil, tissez-le si possible d'un bout à l'autre à travers le lacet.

Verbindungen Nähen

An den Stellen, wo die Litze sich kreuzt, trifft, gefaltet wird und Verbindungen braucht, nähen Sie sie mit kleinen unsichtbaren Stichen fest. Dazu verwenden Sie eine Nähnadel und ein dem Basismaterial entsprechendes Nähgarn. Es wird von jetzt an nicht mehr durch das Muster gestochen. Versuchen Sie, den Arbeitsfaden möglichst wenig zu wechseln. Führen Sie gegebenenfalls die Nadel durch die Litze zu einer neuen Position hinüber.

Le cas échéant, il faut veiller à ce que la couture du pli ne dépasse pas le milieu ajouré du lacet. Il faut entièrement terminer le faufilage et les coutures des intersections avant de commencer à faire les points de remplissage.

Au début ou à l'arrêt du lacet, cousez le bout au bord du lacet sousjacent (voir la figure, à gauche). Attachez d'abord le fil d'étirage, en faisant un point double, pour empêcher qu'il disparaisse dans le lacet. Pliez et coupez le bout A suivant les dimensions du lacet sousjacent. Utilisez des ciseaux bien affilés, le lacet s'effilochant rapidement. Maintenant cousez les bords 2, 3 et 4 du bout plié au lacet sousjacent (voir la figure, à droite).

Wenn zutreffend, beim Verbinden die durchbrochene Litzenmitte freilassen. Heften Sie die gesamte Litze auf und nähen Sie alle Verbindungen, bevor Sie mit den Zierstichen anfangen.

Beim Anfang oder Verschlingen der Litze, das Litzenende auf dem unterliegenden Litzenrand festnähen (siehe die Figur, links). Den Ziehfaden sofort mit zwei Stichen festnähen, sonst verschwindet er wieder in der Litze. Falten und schneiden Sie das Stück A gemäss den Abmessungen der unterliegenden Litze. Verwenden Sie eine scharfe Schere, denn die Litze ist sehr faserig. Jetzt nähen Sie die Seiten 2, 3 und 4 des gefalteten Stückes auf der unterliegenden Litze fest (siehe die Figur, rechts).

Patchwork, detail (see p. 63)

Versailles

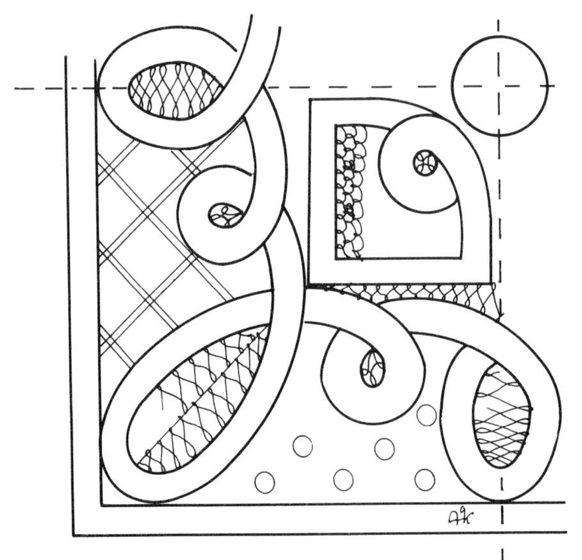

Working the Lace Stitches

The Thread

Choose a thread that matches the structure of the tape or cord. When using finer thread, the tape will dominate, whereas the lace effect will be lost with a thicker thread.

The Pillow

You can either hold your work in one hand and work the stitches with the other, or pin your prepared pattern onto the roll of a lace pillow or onto a flat bobbin-lace pillow.

You can make a roll yourself with an oblong piece of material, towelling or quilt. Fold the sides to the centre and roll up firmly (like a sleeping bag). Secure the edge. While working, rest the cushion on the table or on your lap.

Exécution des Points Décoratifs

Fil

Employez un fil qui s'harmonise bien avec la structure de votre lacet ou cordon. Un fil trop fin fera dominer le lacet, tandis qu'un fil trop épais risque de ruiner le caractère délicat d'une dentelle.

Le Coussin

Le remplissage aux points de dentelle peut se faire en tenant l'ouvrage dans la main. Si vous préférez avoir les mains libres, épinglez votre patron préparé sur le rouleau d'un métier à dentelle ou sur un carreau à dentelle 'plat' (non bombé).

Vous pouvez fabriquer un coussin vous-même avec un morceau oblong de molleton, éponge ou étoffe ouatée. Repliez les bords dans le sens de la longueur et faites un rouleau bien serré (comme on enroule un sac de couchage). Cousez le bout de l'étoffe au rouleau que vous venez de former. Pendant le travail vous pouvez tenir le coussin sur les genoux ou le poser sur la table.

Einnähen der Spitzenstiche

Der Garn

Es wird mit einem zur Struktur Ihrer Litze passenden Garn gearbeitet. Bei allzu dünnem Garn wird die Litze vorherrschen, bei einem zu starken Garn geht der Spitzeneffekt verloren.

Das Kissen

Zum Einnähen der Spitzenstiche können Sie das Werkstück in die Hand nehmen. Haben Sie bei der Arbeit lieber beide Hände frei, dann können Sie das vorbereitete Muster auf dem Zylinder eines Klöppelkissens oder auf einem sogenannten flachen Spitzenkissen (ohne Wölbung) befestigen.

Sie können auch selber ein Kissen anfertigen. Dazu nehmen Sie ein längliches Stück Molton, Kräuselstoff oder wattierten Stoff, und falten der Länge nach beide Seiten einwärts. Dann wickeln Sie das Ganze (wie einen Schlafsack) fest zusammen. Das Stoffende wird an der entstandenen Rolle festgenäht. Während der Arbeit können Sie das Kissen auf den Schoss oder auf den Tisch legen.

Keeping the Lace Clean

In order to prevent the lace from becoming dirty, begin the stitches in the centre and work from the inside out.

High-quality lace comprises both closely worked and open-structured parts. The figures in the lace are densely filled, while the links between the figures are worked with an open pattern, known as the ground. This consists of bars or netting, as shown in the photograph.

Poor choice of fillings (left); better contrast (right)
Remplissages peu variés (gauche); meilleur contraste (droite)
Wenig variierte Füllmuster (links); besserer Kontrast (rechts)

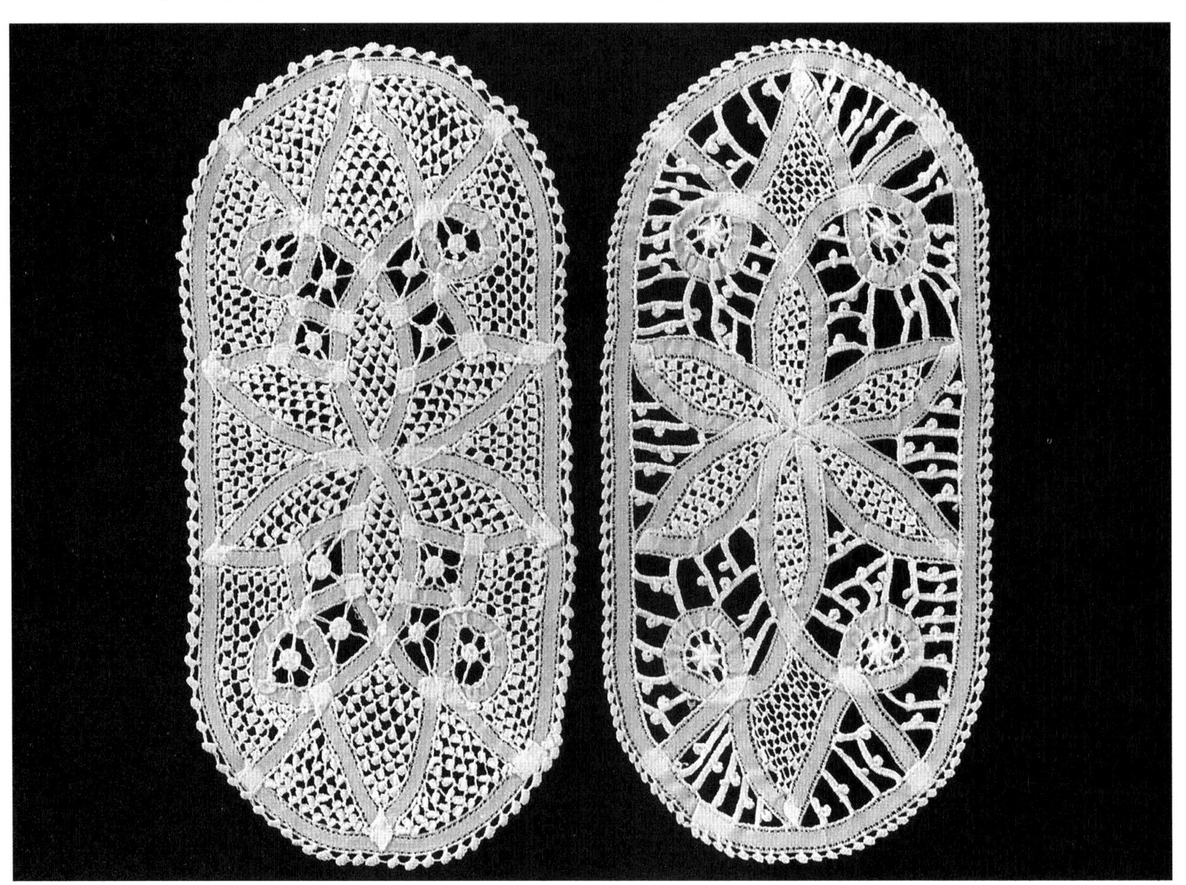

Protection de l'ouvrage en cours

Afin de garder un ouvrage propre, commencez les points de remplissage au milieu de l'ouvrage et avancez vers les bords.

Dans une dentelle de qualité et de valeur le remplissage des motifs se fait à points serrés, tandis que les différents motifs du dessin sont réunis entre eux par des point ajourés, généralement appelés 'fond'. La dentelle au lacet se caractérise par un fond à 'brides' ou à 'points de tulle' (voir photo).

Sauberhalten der Spitze

Damit Ihr Werkstück nicht schmutzig wird, fangen Sie in der Mitte mit dem Einnähen der Spitzenstiche an und arbeiten weiter auswärts.

In einer schönen und hochwertigen Spitze werden die Motive mit einem dichten Füllmuster ausgefüllt. Die verschiedenen Motive werden dann durch ein offenes Füllmuster, meistens 'Grund' genannt, miteinander verbunden. Bei Bändchenspitzen besteht der 'Grund' aus Stäbchen oder Tüllstichen (siehe Photo).

The Stitches

All spaces created by the tape must be filled with lace stitches. Work these close together (see figs a and b).

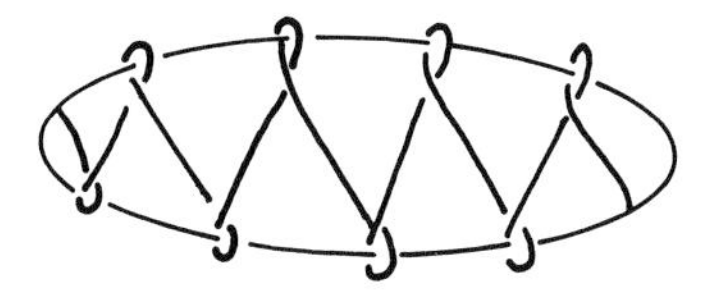

Fig. a
Filling too open
Remplissage à points trop espacés
Zu lockeres Füllmuster

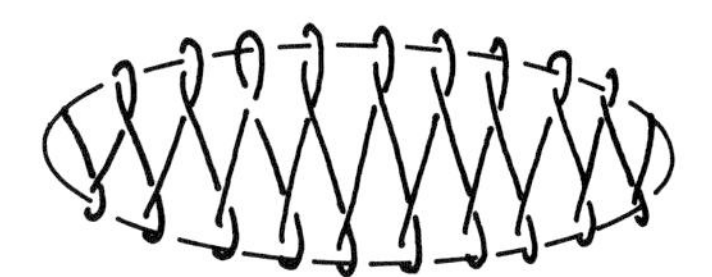

Fig. b
The same filling worked more closely
Même remplissage à points plus rapprochés
Gleiches Füllmuster mit dichteren Stichen

Joining On and Finishing Off the Thread

Choose a place where two or more layers of tape overlap. Push the needle between the layers and pull through until the end of the thread is hidden between the tapes (see fig. c). Make a knot stitch, as shown, before commencing filling (see p. 122).

If the thread runs out during the work, finish the row of stitches you are working on, make a knot stitch on the edge of the tape, then guide the thread along the edge for about 1 cm. ($^3/_8$ in.) and cut off. Join on in reverse. Two knots will now show at the edge.

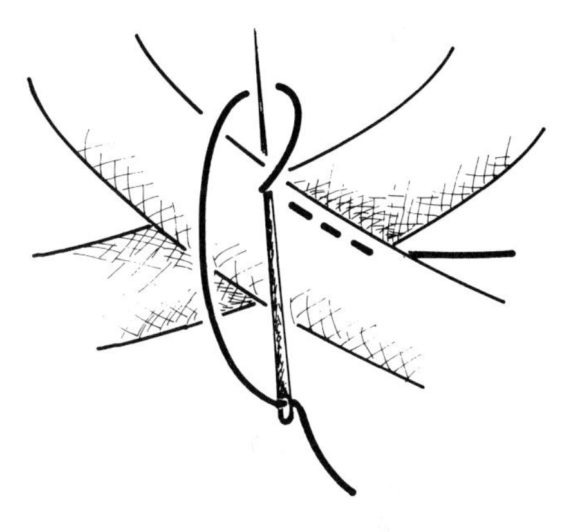

Fig. c

Points de remplissage

Chaque espace créé entre les motifs formés par le lacet doit être rempli par des points décoratifs. Veillez à ce que les points ne soient pas trop écartés les uns des autres (voir figs a et b).

Choisir le point de départ et d'arrêt du fil

Choisissez un endroit où deux couches de lacet (ou plus) se superposent. Glissez le fil entre les deux couches de lacet à l'aide de l'aiguille jusqu'à ce que le commencement du fil se trouve à l'endroit voulu et le bout se cache entre les deux couches (voir fig. c). Fixez par un point noué, comme illustré, avant de commencer le remplissage (voir p. 122).

S'il faut renouveler le fil au cours du travail, terminez la rangée Faites un point noué dans la lisière du lacet, puis guidez le fil par la lisière sur une longueur de 1 cm. environ, coupez. Raccordez le nouveau fil en sens inverse. Deux petits noeuds apparaissent ainsi à la lisière du lacet.

Füllmuster

Jedes zwischen den Litzenteilen entstandene Feld muss jetzt mit Spitzenstichen ausgefüllt werden. Diese Spitzenstiche dürfen nicht zu weit auseinander liegen (siehe Figs a und b).

Verbinden und Verschlingen des Arbeitsfadens

Wählen Sie eine Stelle, wo zwei oder mehr Litzenschichten aufeinander liegen. Der Faden wird mit der Nadel zwischen zwei Schichten durchgezogen, bis der Arbeitsfaden beim Anfangspunkt herauskommt und das Fadenende verschwunden ist (siehe Fig. c). Durch einen Knotenstich befestigen, wie gezeigt, bevor Sie mit den Spitzenstichen anfangen (siehe Seite 122).

Bei Fadenwechsel während der Arbeit, die gängige Reihe beenden. In dem Litzenrand einen Knotenstich machen, dann den Faden über etwa 1 cm. durch den Litzenrand führen und abschneiden. Zum Verbinden in umgekehrter Reihenfolge arbeiten. Zwei Knoten sind jetzt am Litzenrand erkennbar.

Buttonhole Stitch

A buttonhole stitch consists of a loop and a stitch. When working on a pattern requiring buttonhole stitches, make sure you count either loops or stitches (see fig. d).

Fig. e shows a buttonhole stitch being worked away from the lacemaker. If you prefer to work it towards you, turn the page over and, with the book upside down, place it in front of a light source. In this way, the correct working method will be seen.

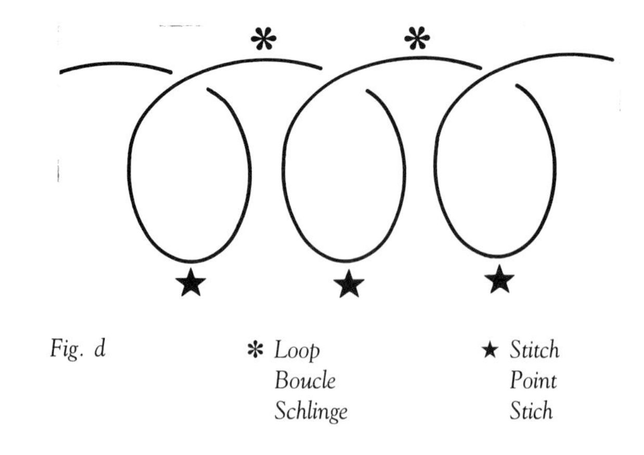

Fig. d ✻ *Loop Boucle Schlinge* ★ *Stitch Point Stich*

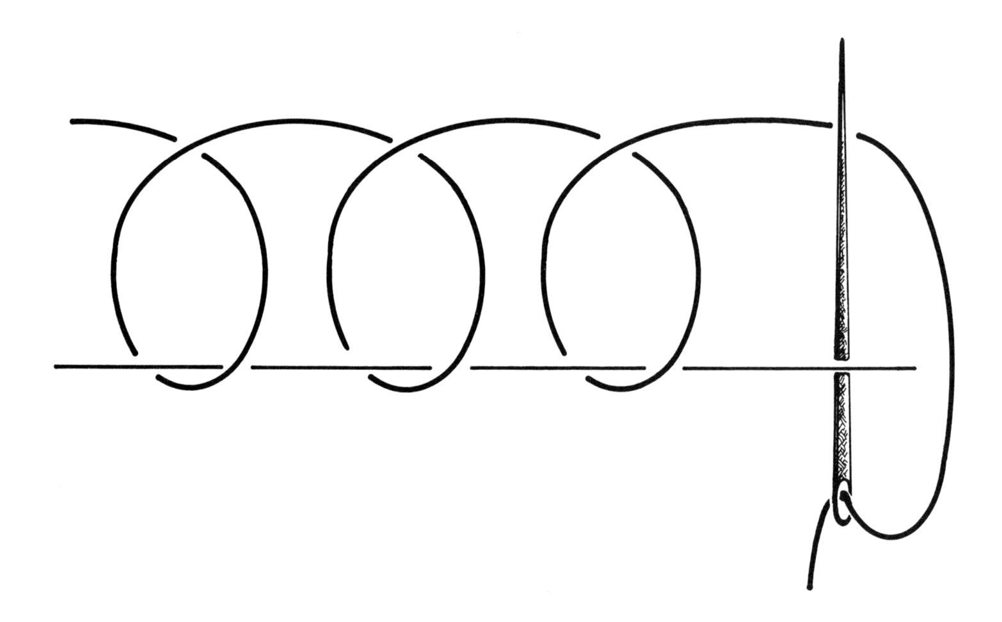

Fig. e

Le point de feston

Le point de feston se compose de deux éléments: une boucle et un point. Faites attention lors du remplissage à points de feston. Il faut compter soit les boucles soit les points (voir fig. d).

L'explication des points de feston est donnée et illustrée pour la version où le chas de l'aiguille se tourne vers vous (voir fig. e). Si vous préférez travailler avec la pointe de l'aiguille tournée vers vous, tournez la page, tenez le livre sens dessus dessous avec la page tournée vers la lumière. Ainsi vous verrez l'illustration dans la version qui vous convient.

Schlingenstich

Ein Schlingenstich besteht aus zwei Teilen, einer Schlinge und einem Stich. In einer Schlingenstichausfüllung ist darauf zu achten dass entweder Schlingen oder Stiche gezählt werden (siehe Fig. d).

Die Zeichnung zu den Schlingenstichen zeigt die Version wobei die Nadel so gehalten wird, dass die Spitze vom Körper abgewendet ist (siehe Fig. e). Arbeiten Sie lieber mit der Spitze auf Sie zu, dann schlagen Sie die Seite um, drehen das Buch mit der Unterseite nach oben und halten es einer Lichtquelle gegenüber. So sehen Sie die Zeichnung in der passenden Version.

Increasing and Decreasing

Increase by making an additional stitch in the first or last loop at the beginning or end of a row. Decrease and finish off by fixing the loops onto the tape (see figs f and g).

Make sure that a repetition in a stitch pattern is worked in the centre of the space to be filled. Calculate the number of stitches from the middle to the edge (see page 136 st. 50).

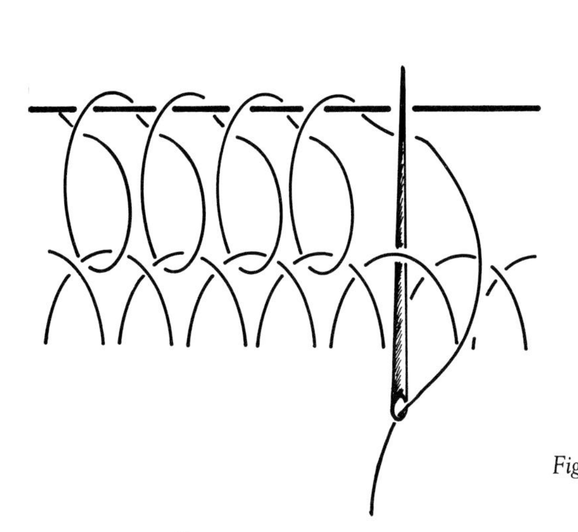

Fig. f

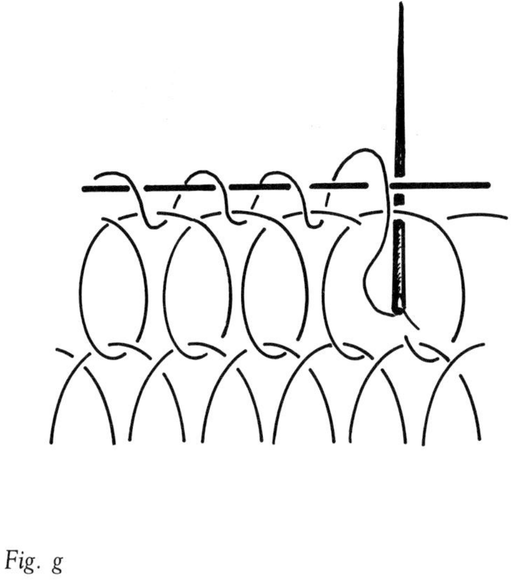

Fig. g

Loops

If a buttonhole-stitch pattern starts at a right angle, you should begin by making a loop (see fig. h). Start the first row of stitches in that loop.

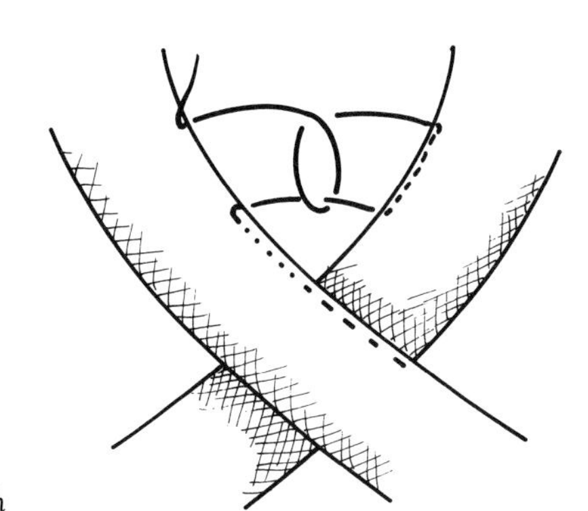

Fig. h

Augmenter et Diminuer

Augmentez en faisant un point supplémentaire dans la dernière boucle au début ou à la fin d'une rangée. Diminuez et arrêtez en rattachant les dernières boucles au bord du lacet (voir figs f et g).

Veillez à ce qu'une éventuelle répétition de points reste au milieu de l'espace à remplir. Comptez les points à partir du centre vers les bords (voir p. 136 pt. 50).

La Boucle

Si un espace à remplir commence par un angle aigu, faites d'abord une boucle (voir fig. h). Servez-vous de cette boucle pour commencer la première rangée de points de feston.

Zunehmen und Mindern

Stiche zunehmen kann man durch einen zusätzlichen Stich in der letzten Schlinge am Anfang oder am Ende einer Reihe. Mindern und Verschlingen geschieht durch Befestigung der letzten Schlingen am Litzenrand (siehe Figs f und g).

Achten Sie stets darauf, dass ein sich wiederholendes Füllmuster in der Mitte eines Feldes bleibt. Zählen Sie die Stiche von der Mitte aus zu den Seiten (siehe seite 136 st. 50).

Die Schlinge

Fängt ein Füllmuster in einem spitzen Winkel an, dann wird zunächst eine Schlinge gemacht (siehe Fig. h). Die erste Reihe des Füllmusters wird an dieser Schlinge gearbeitet.

Leading the Thread

Overcast the tape along the edge when moving from one row to the next, and always insert your needle into the tape from underneath (see figs i and j).

When a space has been filled with stitches, do not take the thread directly to another space or a very untidy appearance will result (see photograph). Either finish off, or if the thread is not too thick and the next space not too far away, work along the edge of the tape to the next starting point.

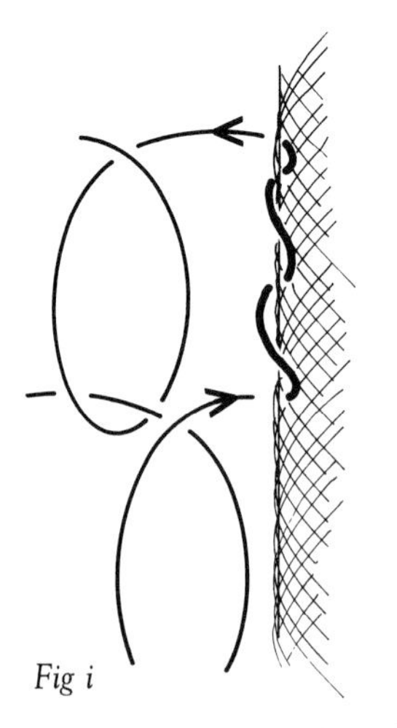

Fig i

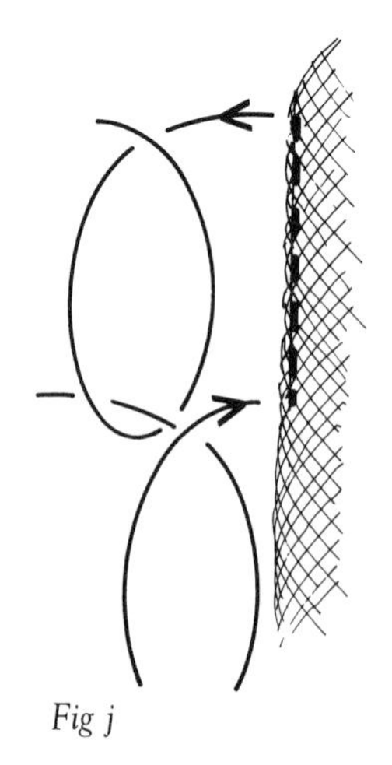

Fig j

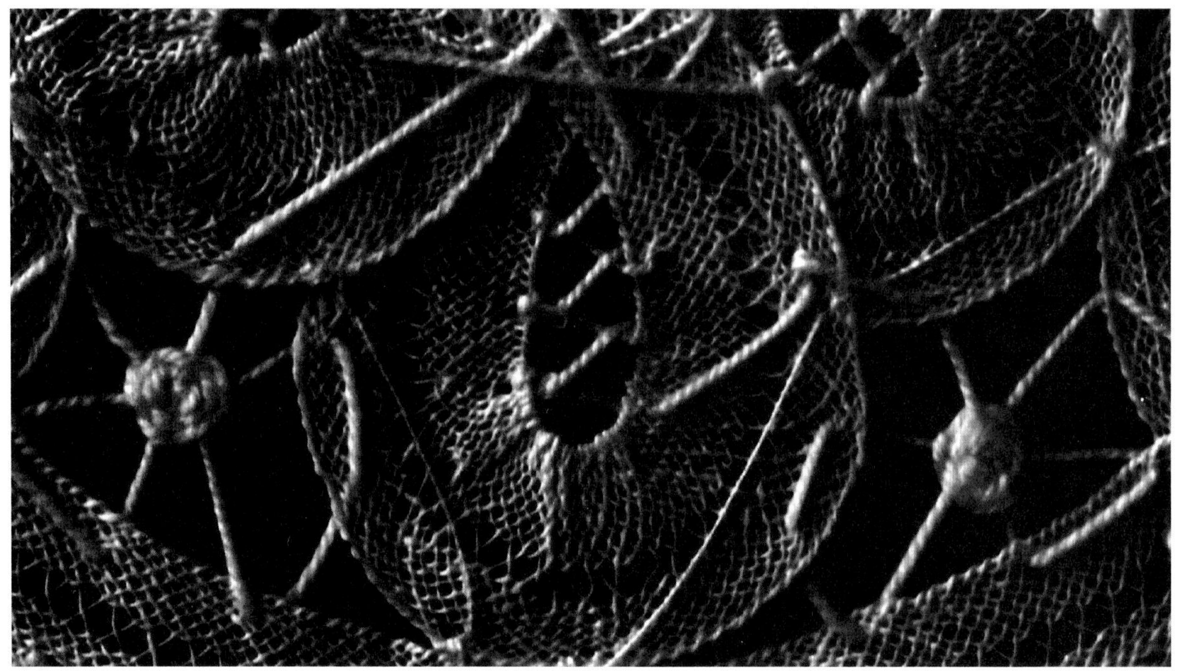

Transporter le Fil

Faites de petits points de surjet réguliers par-dessus la lisière du lacet pour passer à la rangée suivante. Piquez toujours l'aiguille de bas en haut dans le lacet (voir figs i et j).

Après remplissage d'un espace, évitez de transporter le fil directement d'un espace à l'autre (voir photo). Bien que le fil se trouve du côté envers, votre ouvrage présentera un aspect mal soigné. Arrêtez le fil ou, si votre fil n'est pas trop gros et l'espace suivant n'est pas trop éloigné, guidez-le par la lisière du lacet jusqu'au prochain point de départ.

Führen des Arbeitsfadens

Am Ende einer Reihe windet man den Arbeitsfaden mit kleinen regelmässigen Stichen um den Litzenrand zur nächsten Reihe. Die Nadel wird immer von unten nach oben durch die Litze geführt (siehe Figs i und j).

Nachdem ein Feld mit Spitzenstichen versehen ist, führt man den Arbeitsfaden nicht auf direktem Wege zum nächsten Feld (siehe Photo). Sonst sieht die Spitze sehr nachlässig aus. Verschlingen Sie den Faden oder führen Sie ihn den Litzenrand entlang zum nächsten Ausgangspunkt, falls dieser nicht zu weit entfernt liegt und falls mit dünnem Garn gearbeitet wird.

Ironing

Iron your finished piece of lace before you remove it from the pattern. The best way is to put a clean cloth over the lace before ironing at an average temperature.

Detaching

When the work is finished, cut the basting stitches at the back of the pattern or in between the two layers of paper (see photograph). Peel the lace carefully away from the pattern. Remove the remaining basting threads with tweezers.

Repassage

Avant de détacher votre ouvrage du patron, couvrez-le d'un linge propre et repassez à température moyenne.

Détacher

Lorsque l'ouvrage est entièrement terminé, coupez les faufils du côté envers de votre patron ou entre deux couches de papier (voir photo), puis pelez doucement la dentelle, c.à.d., retirez-la du patron. Les bouts de faufil peuvent ensuite être enlevés du matériel de base a l'aide d'une pincette.

Bügeln

Bevor Sie Ihr Werkstück von der Unterlage abnehmen, bedecken Sie es mit einem sauberen Tuch und bügeln es mit einem mässig heissen Eisen.

Abnehmen von der Unterlage

Wenn das Werkstück ganz fertig ist, werden auf der Rückseite der Unterlage oder zwischen zwei Papierschichten die Heftstiche durchgeschnitten (siehe Photo) und wird die Spitze vorsichtig von der Unterlage geschält. Alle Reste der Heftstiche werden mit einer Pinzette aus dem Basismaterial entfernt.

Orient

Variations and Combinations

There are many more ways of working tape lace than you might think, as it can often be combined with other materials and techniques. For instance, needlelace stitches can be partly replaced by tulle, creating an especially fine tape lace.

Princess lace is a well-known combination of tape and tulle, and an imitation of application laces, in which hand-made bobbin or needlepoint lace motifs are attached to the machine-made tulle. It is worked using fine-quality tape, which is specially made for this lace.

You can also buy cord, bias-binding, satin or zigzag edgings from a haberdashery for use as base materials. Shop around for these and you will be

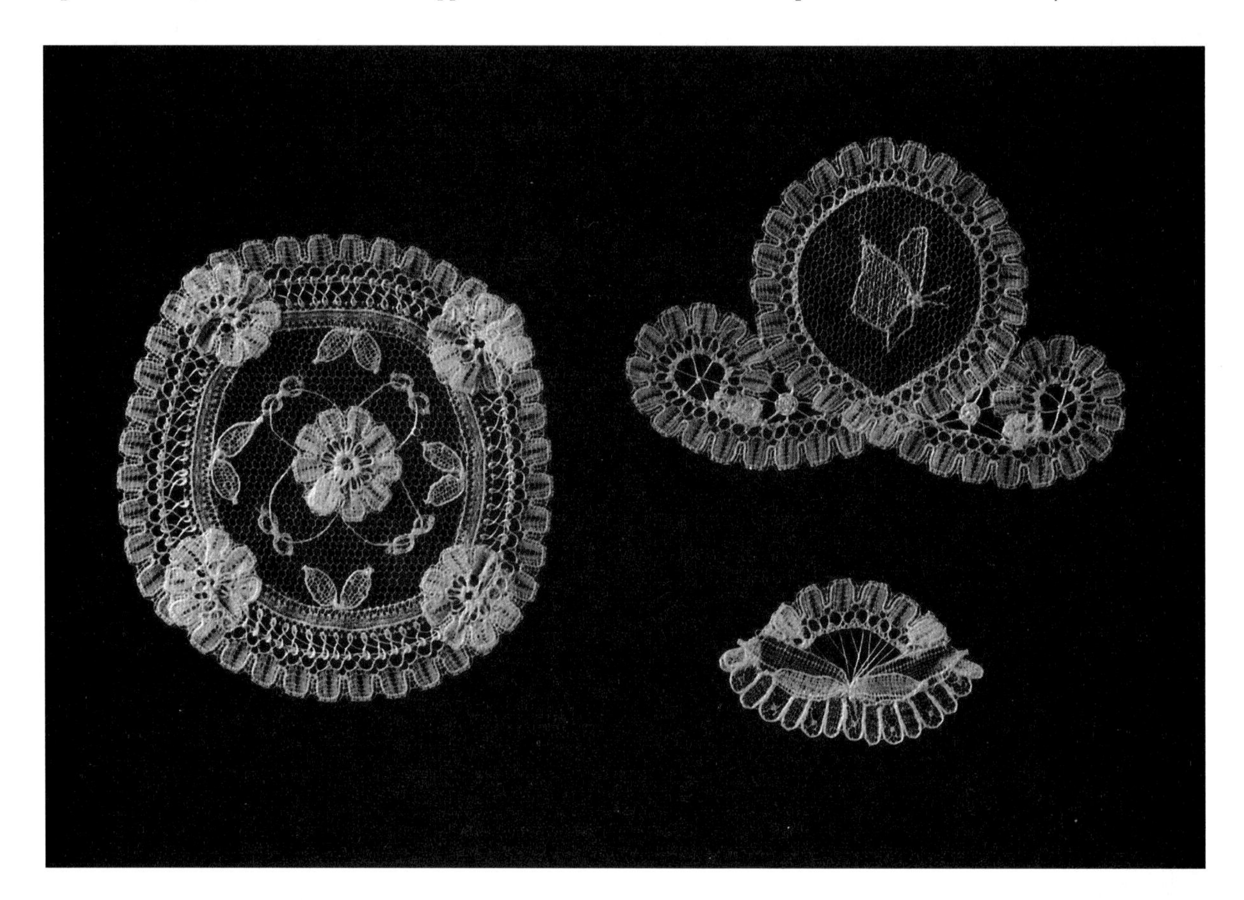

Variations et Combinaisons

Il existe bien plus de possibilités de varier et de combiner des lacets avec d'autres matériaux ou techniques que vous ne pourriez sans doute imaginer. Ainsi p.ex. peut-on remplacer en partie les points à l'aiguille par un réseau tulle, ce qui donne à la dentelle au lacet un aspect délicat.

Variationen und Kombinationen

Es gibt mehrere Möglichkeiten zum Variieren und Kombinieren von Spitzenbändchen mit verschiedenen Materialien und Techniken, als Sie vielleicht annehmen. So kann das Einnähen von Spitzenstichen, z.B. zum Teil durch Tüll ersetzt werden, was Ihrer Spitzenarbeit eine besondere Feinheit verleiht.

Appliquéed lace
Dentelle appliquée
Aufnäharbeit auf Tüll

Youghal

surprised at the diversity of materials and colours. If you are using cord as a base material, follow the same couching technique as for Irish Youghal and Hungarian Halas needlepoint lace.

If you wish to make your own base material, you can replace the machine-made base with crocheted cord, a plait, or bobbin-made tape (as used in the early tape laces). Many of the patterns found in Bruges flower lace, Milanese, Russian and Rosaline laces, in which tape is shaped on the pattern lines, are suitable for tape lace.

Follow the directions given in this book in order to combine tape lace with your favourite needlecraft.

Princess lace
Dentelle Princesse
Prinzessinspitze

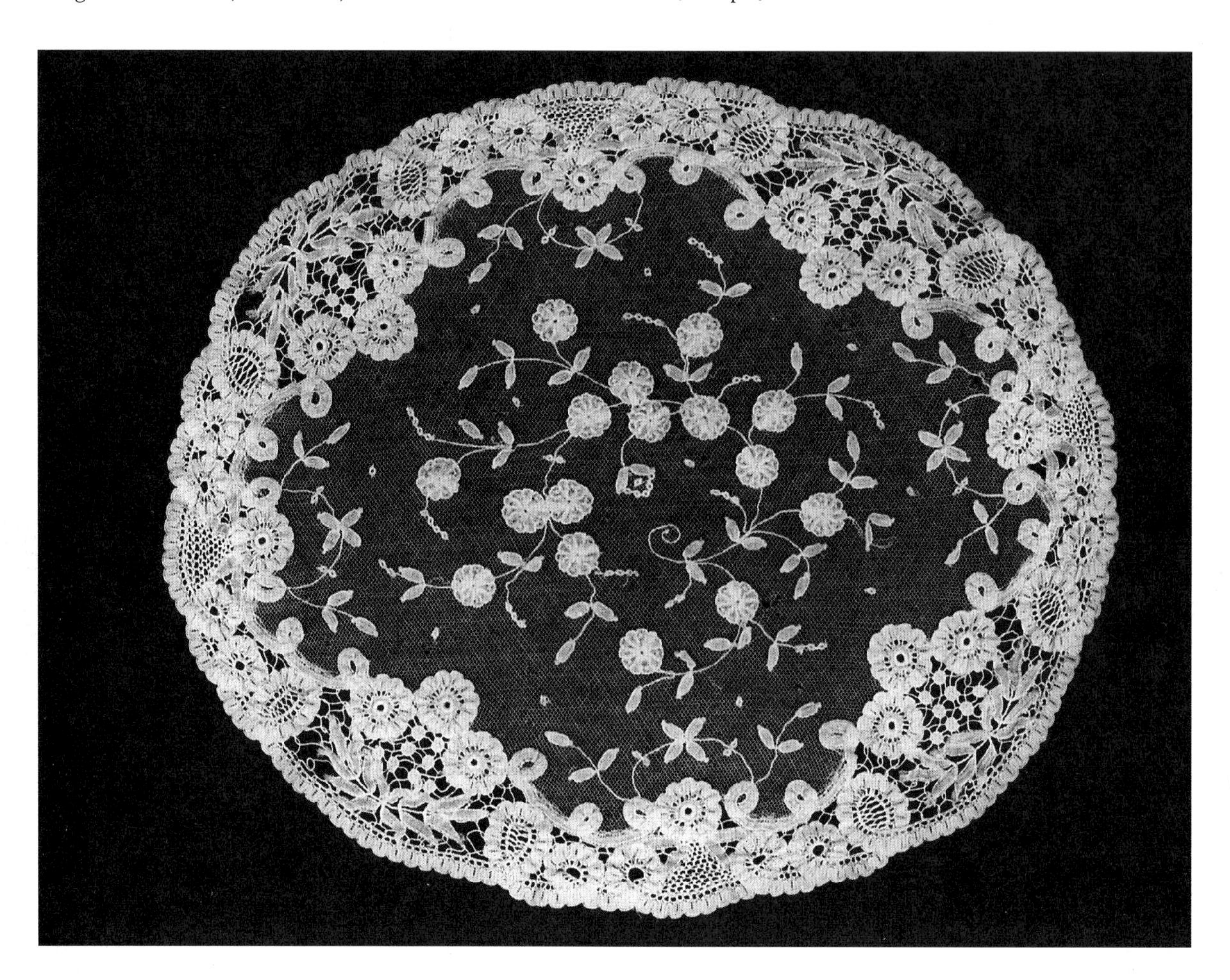

La dentelle Princesse est une combinaison de lacet et de tulle bien connue et une imitation des dentelles appliquées, où les motifs en dentelle aux fuseaux ou à l'aiguille étaient attachés à un réseau tulle fait à la machine. Pour la dentelle Princesse on utilise des lacets en coton très fins spécialement fabriqués à cet effet.

Comme matériel de base vous pourriez remplacer le lacet par un cordon, ruban biais, satin, zigzag ou des soutaches. En fouillant un peu dans les magasins de mercerie vous serez étonnées de la diversité des

Eine bekannte Kombination von Band und Tüll ist die sogenannte Prinzessinspitze. Diese Technik ist eine Imitation der Applikationsspitzen, d.h. geklöppelte und genähte Spitzenteile auf mechanisch angefertigtem Tüll befestigt. Zur Herstellung der Prinzessinspitze verwendet man speziell dazu geeignete Baumwollbändchen von feiner Qualität.

Statt Spitzenbändchen können Sie auch Schnür-, Schräg-, Zickzack- oder Satinband kaufen und dies als Basismaterial verwenden. Gehen Sie einmal auf die

matériaux et des couleurs disponibles. Le faufilage d'un cordon s'exécute comme le traçage d'une 'base' dans la dentelle à l'aiguille irlandaise Youghal et la dentelle hongroise Halas.

Celui qui veut réaliser une dentelle entièrement à la main peut remplacer le matériel de base fait à la machine par un cordon crocheté, un ruban tressé ou un ruban confectionné aux fuseaux, comme dans les dentelles aux lacets authentiques. Beaucoup de patrons qui comprennent un lacet formé sur le modèle, comme p.ex. pour le fleuri de Bruges, la dentelle de Milan, la dentelle russe ou Rosaline, peuvent être utilisés pour une dentelle au lacet.

A l'aide des indications données dans ce livre vous serez à même de réaliser une création personnelle en combinaison avec la technique de votre ouvrage préféré.

Suche in einem Nähfachgeschäft; sie werden über die Verschiedenheit an Material und Farbe erstaunt sein. Das Aufheften einer Schnur als Basismaterial geschieht wie das Vornähen einer Basistrassierung bei der irischen Youghal und der ungarischen Halas Nadelspitze.

Wer die Bändchenspitze ganz handgemacht haben will, kann das mechanisch angefertigte Basismaterial durch ein gehäkeltes Bändchen, eine Flechtschnur oder ein geklöppeltes Bändchen, wie bei den ursprünglichen Bändchenspitze, ersetzen. Viele Klöppelbriefe für z.B. Brügger Bloemwerk, Mailänder, Russische oder Rosalinespitzen, wobei das Band auf dem Muster gestaltet wird, sind sehr gut als Muster für Bändchenspitze verwendbar.

Mit Hilfe der Anweisungen in diesem Buch werden Sie in der Lage sein, in Kombination mit Ihrer beliebten Handarbeitstechnik eine ganz eigene Kreation zu realisieren.

Halas

Iris: pattern to be outlined with a cord
modèle à composer avec cordon
für Schnürchen geeignetes Muster

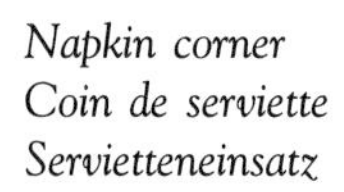

Napkin corner
Coin de serviette
Serviettenenisatz

Using Ready-Made Tape (Other than Tape Lace)

Materials Required

When using ready-made materials for the tape, check that these meet the following requirements:

- colour fast
- width: 0.5 to 1.5 cm ($^1/_4$ to $^1/_2$ in.).
- even, not too densely woven, supple structure

Possible alternatives to lace tape
Choix de lacets non-traditionnels
Mögliche Alternativbändchen

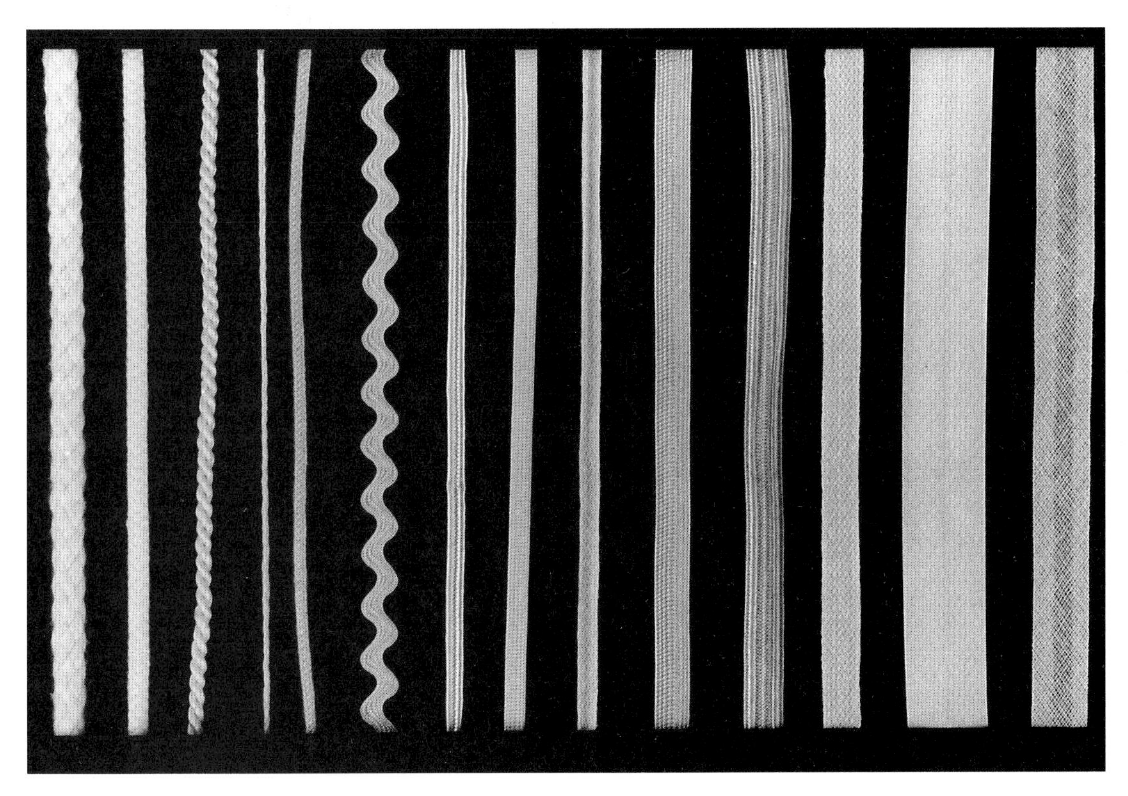

Emploi de Lacets Tout Prêts autres que les Lacets à Dentelle

Fournitures Nécessaires

Le matériel tout prêt de votre choix doit remplir les conditions suivantes:

- bon teint
- largeur de 0,5 jusque 1,5 cm environ
- texture régulière, flexible et pas trop dense

Verwendung von Gebrauchsfertigen Litzen ausser Spitzenbändchen

Benötigtes Material

Das gewählte Fertigmaterial soll den nachfolgenden Anforderungen entsprechen:

- farbecht
- etwa 0,5 bis 1,5 cm. breit
- regelmässige, schmiegsame und nicht allzu dichte Faserung

Joining two cords
Assembler deux cordons
Verbinden von zwei Schnüren

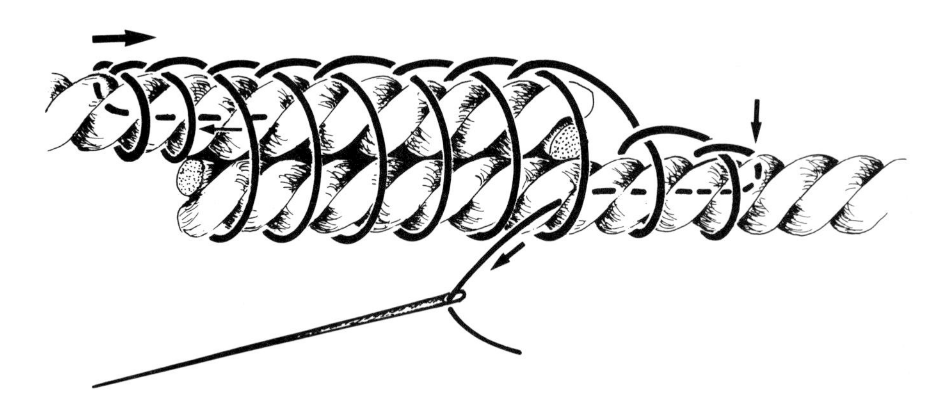

Cord as base material
Cordon comme matériel de base
Schnur als Basismaterial

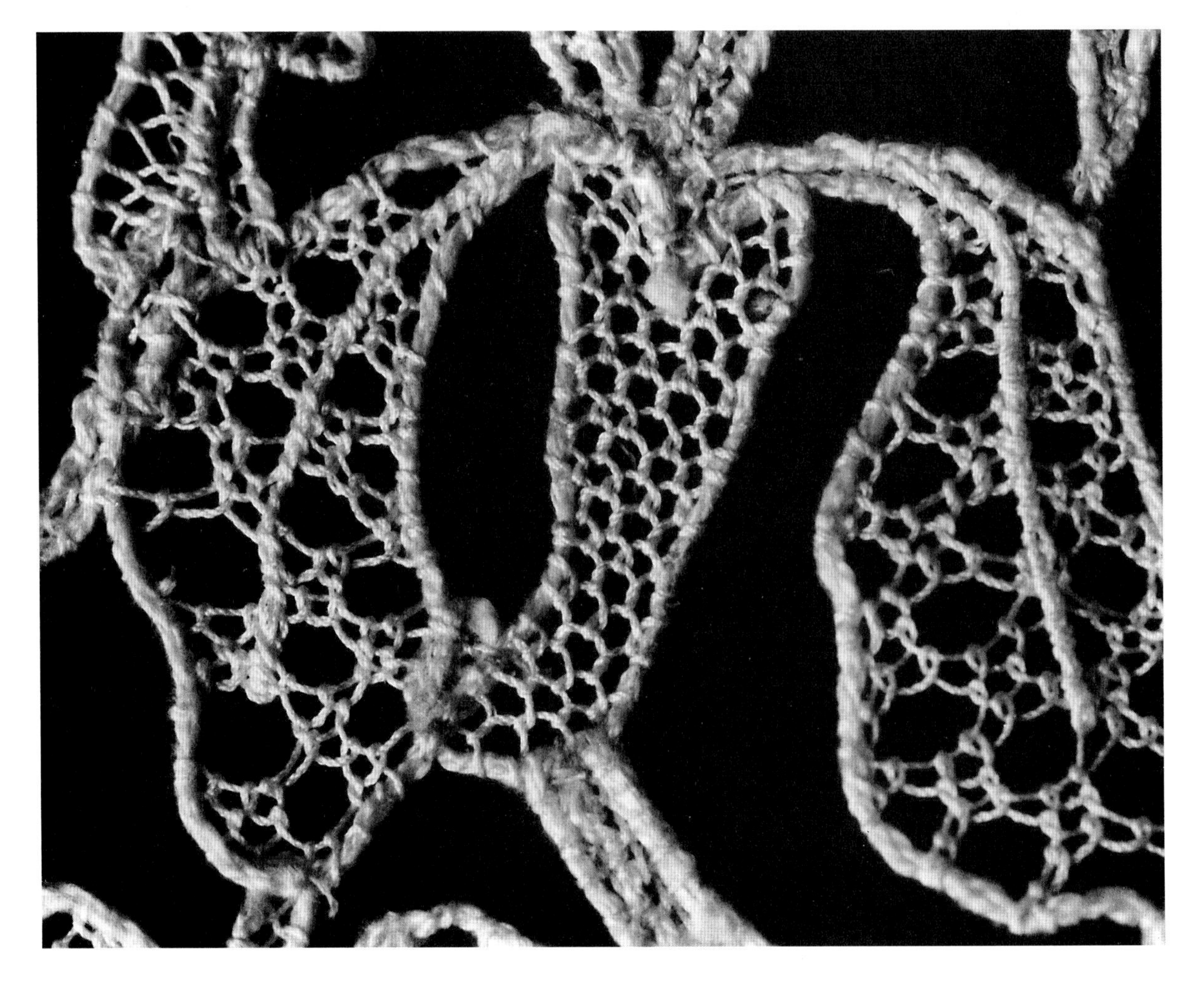

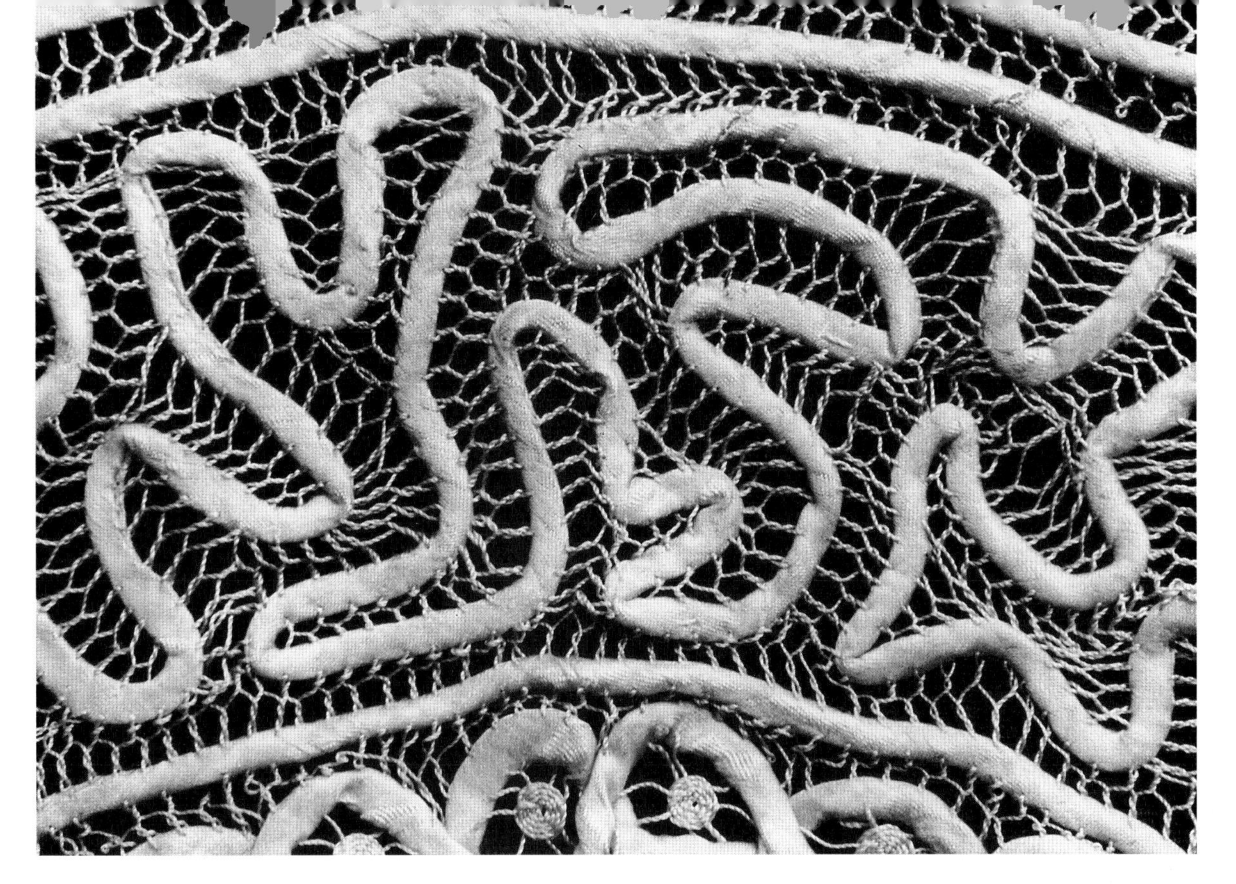

Using bias binding
Emploi de ruban biais
Verwendung von Schrägband

Working Method

The order of work differs from that given on p. 40 as follows:

Pattern Choose a pattern with as many continuous lines as possible in order to avoid ugly connections.

Tape If working with cotton or satin bias-binding, prepare this by folding it in two, lengthwise (right side out), and sewing up the open side with invisible stitches, either by hand or with a sewing machine. The inner curves can be smoothed out by basting a gathering thread along the inner side of the tape.

Ordre de travail

Les points suivants diffèrent de l'ordre de travail (p. 40) habituel:

Le patron Choisissez un patron dont les lignes sont ininterrompues, afin d'éviter des jonctions peu élégantes.

Le lacet Si vous employez un ruban satin ou un ruban biais en coton, il faut le plier en deux dans le sens de la longueur (l'endroit vers l'extérieur), puis le côté ouvert est fermé à points de couture aussi invisibles que possible, à points de surjet ou à la machine. Dans les courbes, un faufil introduit dans la face interne pourra servir de fil d'étirage, pour que le lacet puisse être couché bien à plat sur le patron.

Die Arbeitsgänge

Die nachfolgenden Punkte weichen von der üblichen Arbeitsweise (S. 40) ab:

Muster Wählen Sie ein Muster mit möglichst ununterbrochenen Linien, damit weniger zierliche Verbindungen vermieden werden.

Band Bei Verwendung von Satin- oder Baumwollschrägband, dies der Länge nach zusammenlegen und die offene Seite möglichst unsichtbar mit der Hand oder mit der Machine zunähen. Durch Heften eines Ziehfadens an der Innenseite der Litze können die Rundungen schön geglättet werden.

Spectacle case
Etui à lunettes
Brillenetui

Handkerchief corner
Coin de pochette
Taschentucheinsatz

Felix

Multi-purpose insertion
Entre-deux universel
Universaleinsatz

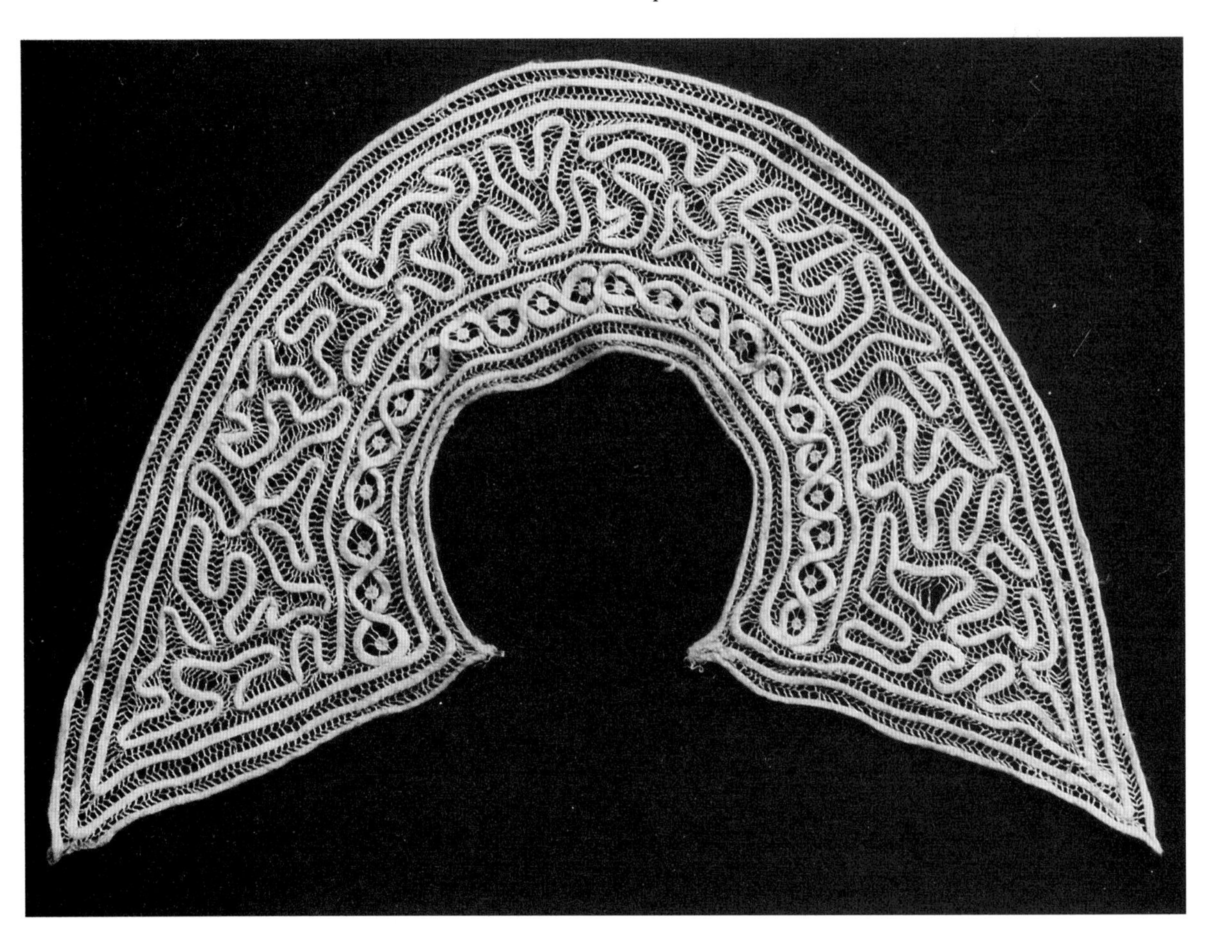

Collar (c. 1900)
Collerette (c. 1900)
Krägen (c. 1900)

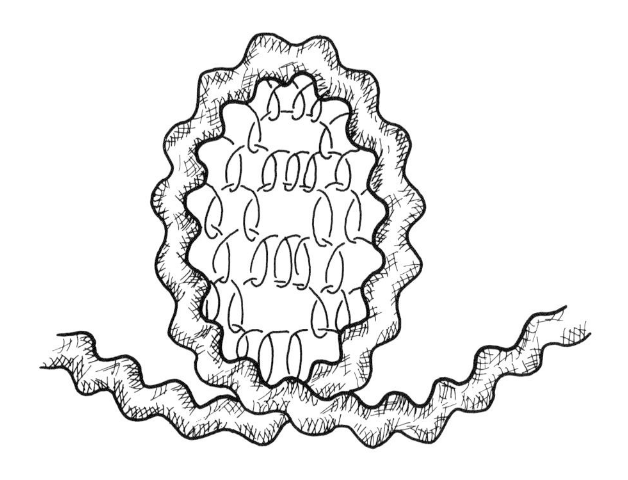

Using Bobbin-Made Tape

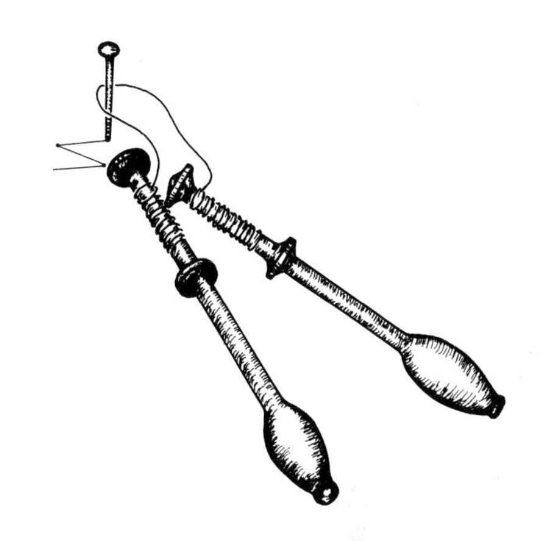

Materials Required

- a lace pillow
- pins
- copy of pricking on thin card, covered with adhesive plastic
- thread of a thickness and quality to match the pattern

Using bobbin-made tape
Emploi d'un lacet confectionné aux fuseaux
Verwendung eines geklöppelten Spitzenbändchens

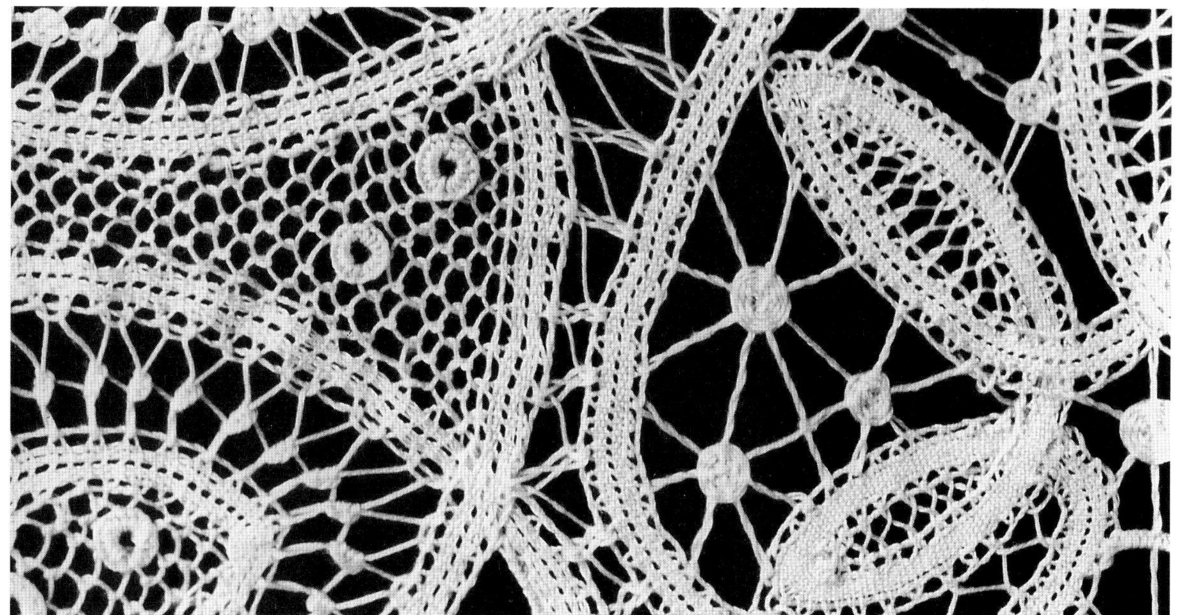

Emploi de Lacets Confectionnés aux Fuseaux

Fournitures nécessaires:

- un métier à dentelle
- épingles
- une copie du patron sur carton léger, couvert de plastique adhésif transparent
- fil à dentelle, épaisseur et qualité dépendent du patron

Verwendung von Geklöppelten Spitzenbändchen

Benötigtes Material

- Klöppelkissen
- Stecknadeln
- Kopie des Klöppelbriefes auf dünner Pappe mit selbstklebender Transparentfolie überklebt
- Spitzengarn, Stärke und Qualität dem Muster angepasst

Shaping

There are two different ways to shape the tape. Choose the one you prefer.

1 Shape the tape on the pattern while working. Needlelace stitches can be made while the tape is still attached to the pillow. Alternatively, remove the shaped tape from the pillow, baste it on the pattern again (without card) and work as usual.

2 Make a straight length of tape as required and work as usual. The thick thread which is incorporated in the edges is then used as gathering thread.

Number of bobbins required:
prickings 1–5: 16 bobbins
pricking 6: 6 bobbins

Nombre de fuseaux nécessaires:
patrons 1–5: 16 fuseaux
patron 6: 6 fuseaux

Benötigte Klöppelzahl:
Klöppelbriefe 1–5: 16 Klöppel
Klöppelbrief 6: 6 Klöppel

1 2 3 4 5 6

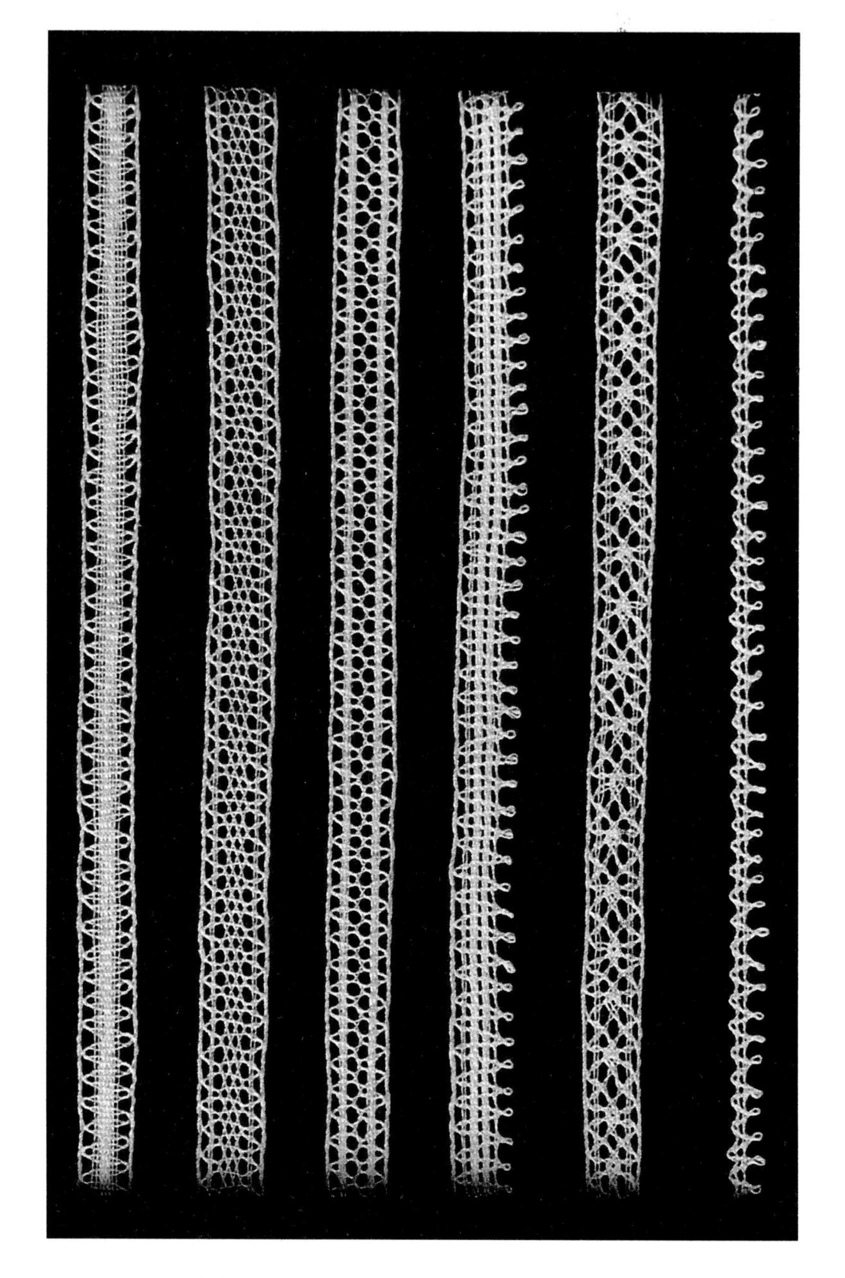

Tea cosy
Couvre théière
Toewärmer

Modelage

Vous pouvez procéder de deux manières différentes. A vous de choisir celle qui vous convient le mieux.

1 Soit vous modelez le lacet selon les lignes du patron en travaillant. Les points décoratifs peuvent être exécutés pendant que le lacet se trouve toujours attaché au métier. Vous pouvez aussi enlever le lacet modelé du métier, puis le faufiler à nouveau sur le patron (sans carton) et procéder comme d'habitude.

2 Soit vous confectionnez la longueur nécessaire et vous la modelez ensuite comme d'habitude. Le fil épais qui est incorporé dans la lisière servira de fil d'étirage.

Gestalten

Es gibt zwei Möglichkeiten. Wählen Sie die für Sie am besten geeignete.

1 Entweder gestalten Sie die Litze gemäss den Musterlinien während des Klöppelns. Das Einnähen der Spitzenstiche kann dann nach dem Klöppeln erfolgen, wenn das Werkstück sich noch auf dem Kissen befindet. Oder entfernen Sie die gestaltete Litze vom Kissen, heften diese aufs Neue auf das Muster (ohne Pappe) und arbeiten weiter wie üblich.

2 Oder Sie klöppeln die benötigte Länge und verarbeiten sie weiter wie üblich. Der stärkere Faden, der im Rande mitgeklöppelt wird, funktioniert dann als Ziehfaden.

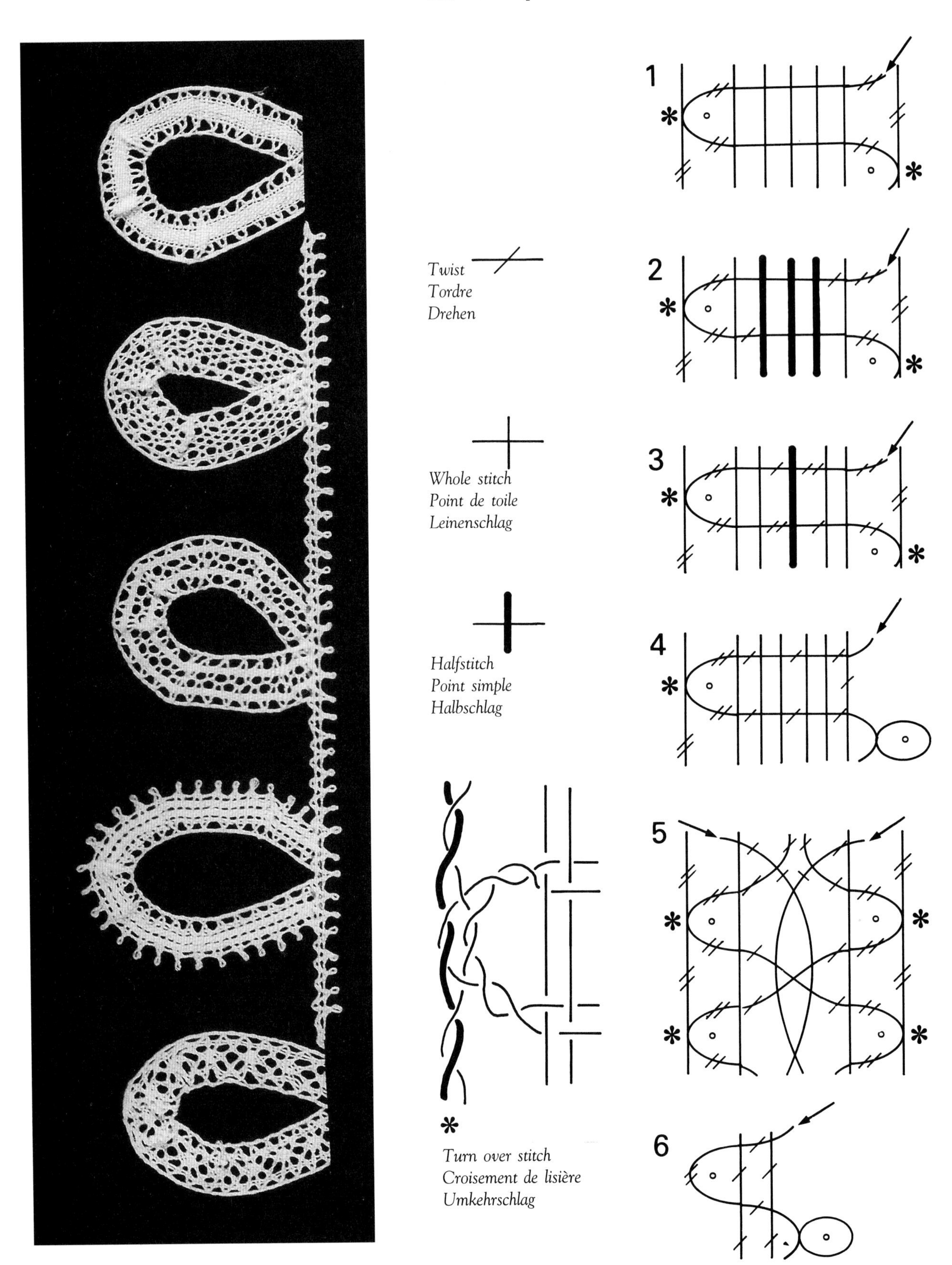
1
2
3
4
5
6
Twist
Tordre
Drehen
Whole stitch
Point de toile
Leinenschlag
Halfstitch
Point simple
Halbschlag
Turn over stitch
Croisement de lisière
Umkehrschlag

Position of the Pins

Having made the last stitch and before placing the pin, keep the outer passives parallel to the pattern line. Make an angle of 90° with this pair and the workers (see diagram). In this way you can determine the correct position of the pin.

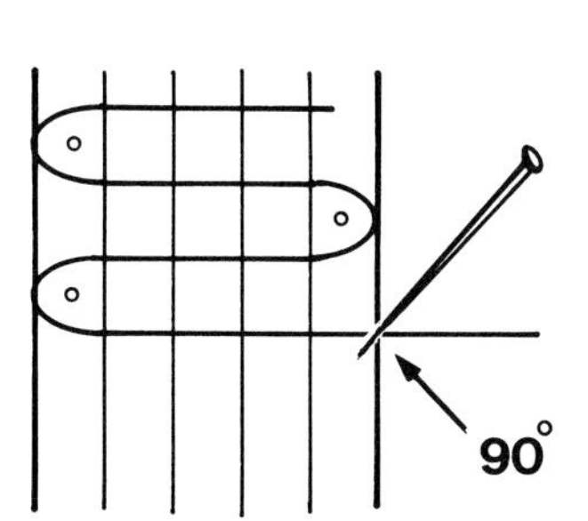

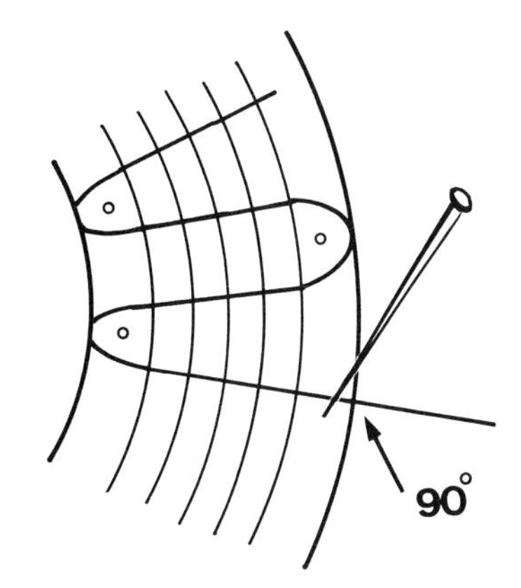

Position des épingles

Après le dernier point, avant de mettre l'épingle, tenez la dernière paire passive parallèle à la ligne du patron. Formez un angle de 90° avec cette paire passive et les voyageurs (voir la figure). Ainsi vous pourrez déterminer la position correcte de l'épingle.

Position der Stecknadeln

Nach dem letzten Schlag, bevor Sie die Randnadel stecken, halten Sie das äusserste Längspaar parallel zur Musterlinie. Mit diesem Paar und dem Laufpaar machen Sie einen Winkel von 90° (siehe Figur). So bestimmen Sie die richtige Position der Stecknadel.

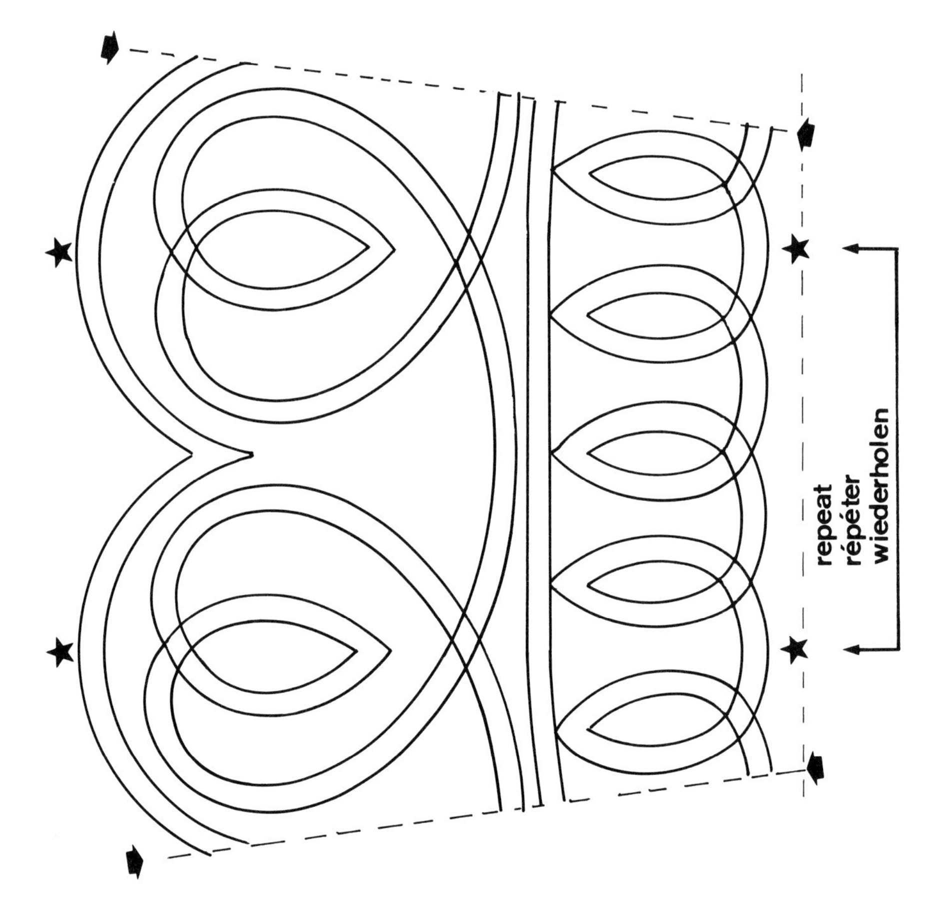
repeat
répéter
wiederholen

Tea cosy and cloth
Couvre-théière et napperon
Teewärmer und Decke

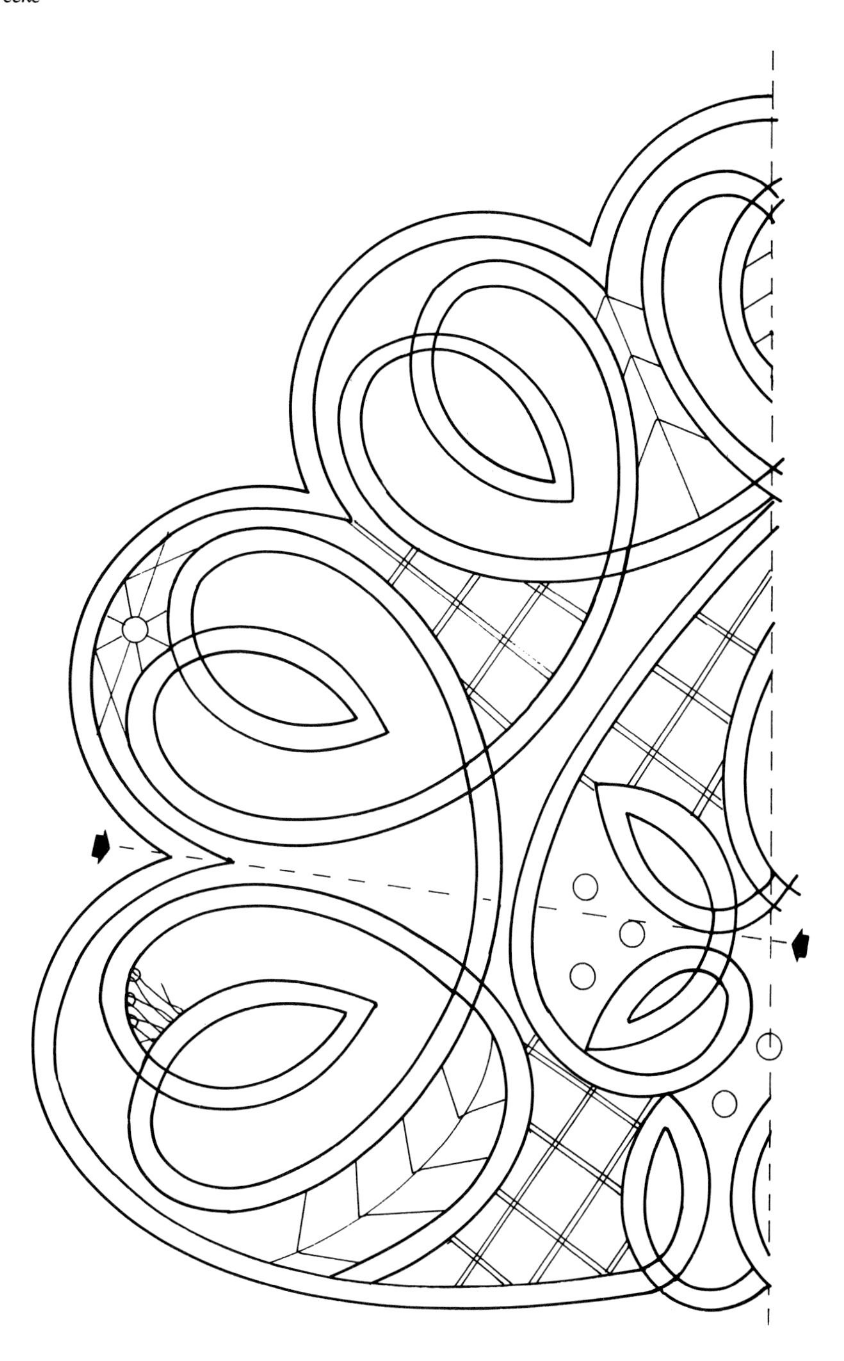

Using Crocheted Cord

Materials Required

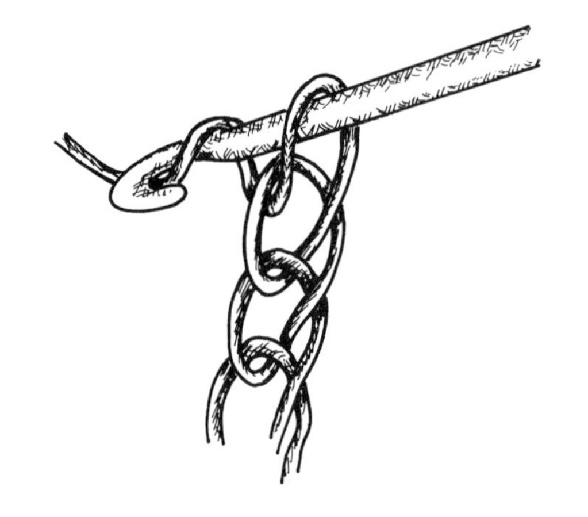

Add to the standard list (see p. 39):

- crochet cotton made with strong twine, of a thickness to match the pattern
- crochet hook
- embroidery needle

Working Method

The order of work differs from that given on p. 40 as described below.

Pattern Choose a pattern with continuous lines in order to avoid ugly connections.

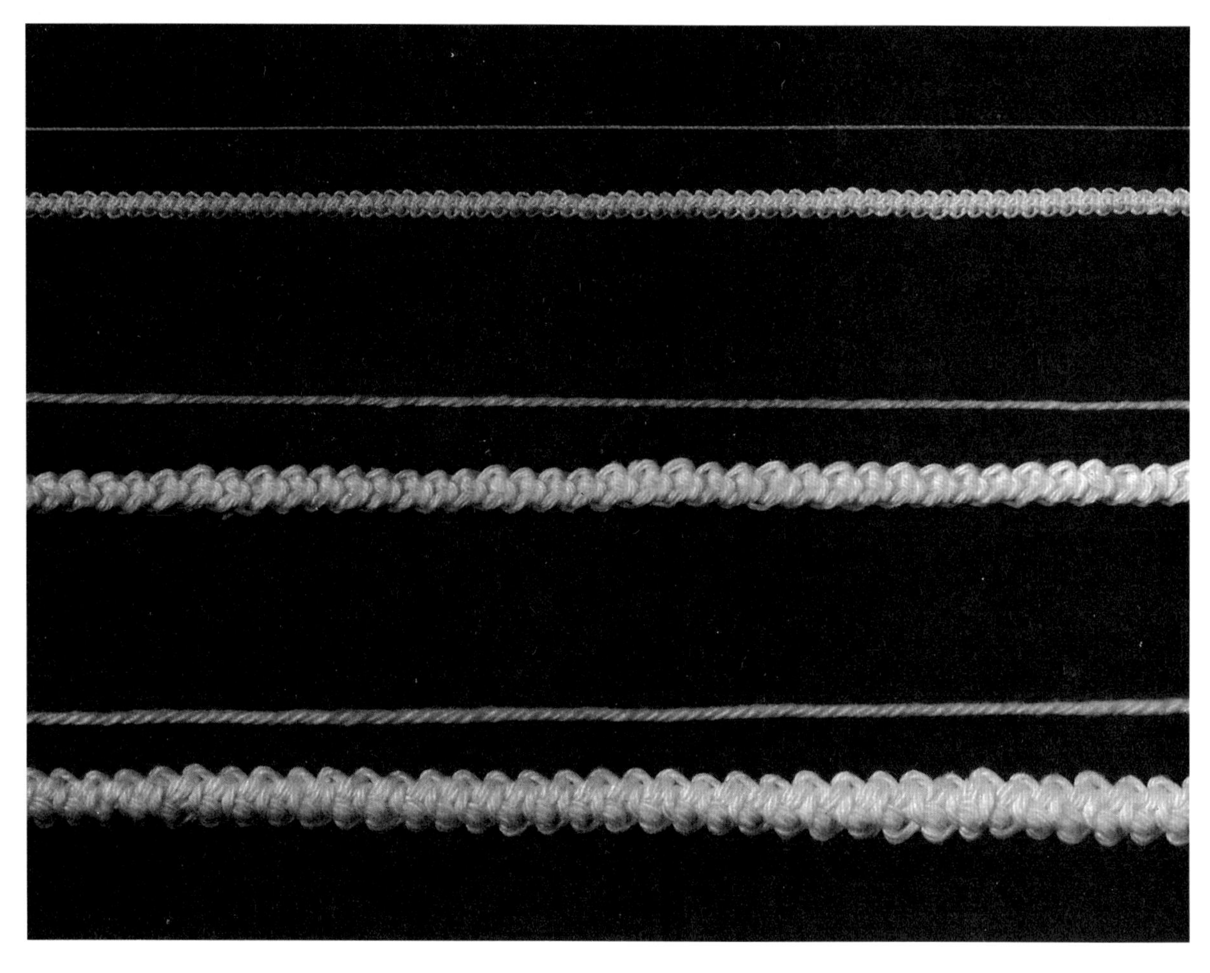

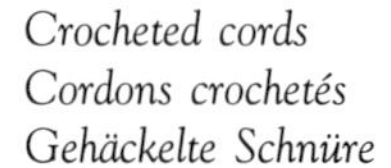

Crocheted cords
Cordons crochetés
Gehäckelte Schnüre

Basting When basting the cord onto the pattern lines, work the basting stitches at an angle rather than lengthwise over the cord (see photograph).

Emploi de Cordons Crochetés

Fournitures nécessaires

Ajoutez à la liste de référence:
- du coton à crocheter brillanté bien tordu et de bonne qualité, épaisseur adaptée au patron
- un crochet
- une aiguille à broder

Ordre de travail

Les points suivants diffèrent de l'ordre de travail habituel.

Le patron Choisissez un patron dont les lignes sont ininterrompues, afin d'éviter des jonctions peu élégantes.

Faufiler Il est recommandé de faufiler le cordon sur les lignes du patron par des points obliques (voir photo).

Verwendung von Gehäkelten Schnüren

Benötigtes Material

Fügen Sie der Normalliste hinzu:
- Häkelgarn, stark gezwirntes Glanzgarn erster Qualität, Stärke gemäss dem Muster
- Häkelnadel
- Sticknadel

Arbeitsgängen

Die nachfolgenden Punkte weichen von der üblichen Arbeitsweise ab.

Muster Wählen Sie ein Muster mit möglichst ununterbrochenen Linien, damit weniger zierliche Verbindungen vermieden werden.

Heften Die Schnur mit schrägen Heftstichen auf dem Muster heften (siehe Photo).

The Cord

1 Make a loop stitch.

2 Work two chain stitches in the loop. Make a plain or close stitch as described in steps 3–7.

3 Insert the hook into the first chain stitch.

4 Throw the thread over the hook.

5 Draw the thread through that stitch.

6 Throw the thread over the hook again.

7 Draw the thread through the two loops on the hook.

8 While keeping the hook in your hand, turn the work over from right to left.

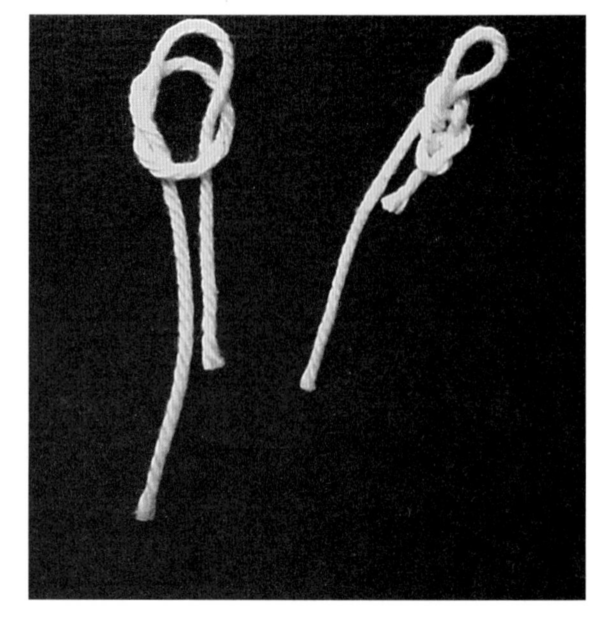

Steps 1–2
Etapes 1–2
Stufen 1–2

Le Cordon

1 Faites un noeud coulant.

2 Dans cette boucle, faites deux mailles en l'air. Faites une maille serrée comme décrit dans les étapes 3–7.

3 Piquez le crochet dans la première maille de la chaînette.

4 Jetez le fil sur le crochet.

5 Tirez le fil à travers la maille.

6 Faites un nouveau jeté.

7 Passez le fil par les deux boucles sur le crochet.

8 Tout en gardant le crochet dans la main, retournez l'ouvrage de droite à gauche.

9 Piquez le crochet dans les *deux* boucles à l'extrême gauche. Une boucle seulement au premier rang!

10 Faites un jeté. Passez le fil par ces *deux* boucles. Une boucle seulement au premier rang!

11 Faites un jeté. Passez le fil par les deux boucles sur le crochet.

12 Retournez l'ouvrage. Continuez en répétant les étapes 9–12.

Die Schnur

1 Anfangsschlinge machen.

2 In dieser Schlinge zwei Luftmaschen häkeln. Eine feste Masche ausführen, wie beschrieben in den Stufen 3–7.

3 Die Häkelnadel durch die erste Luftmasche einführen.

4 Den Faden mit dem Häkchen erfassen.

5 Den Faden durch die Masche ziehen.

6 Den Faden nochmals erfassen.

7 Den Faden durch beide auf der Nadel ruhenden Schlingen ziehen.

8 Mit der Häkelnadel in der Hand, die Arbeit rechtsum wenden.

9 Die Häkelnadel durch die *beiden* äusserst links liegenden Schlingen führen. Nur durch eine Schlinge in der ersten Reihe!

10 Den Faden erfassen und durch diese *zwei* Schlingen ziehen. Nur durch eine Schlinge in der ersten Reihe!

11 Den Faden erfassen und durch beide auf der Nadel ruhenden Schlingen ziehen.

12 Die Arbeit umwenden. Die Stufen 9–12 immer wiederholen.

9 Insert the hook into the *two* loops situated on the edge to the far left. Note that the first turn has only one loop!

10 Throw the thread over the hook, draw the thread through the *two* loops. Again, note that the first turn has only one loop!

11 Throw the thread over the hook once again, and draw the thread through two loops on the hook.

12 Turn the work over. Continue by repeating steps 9–12.

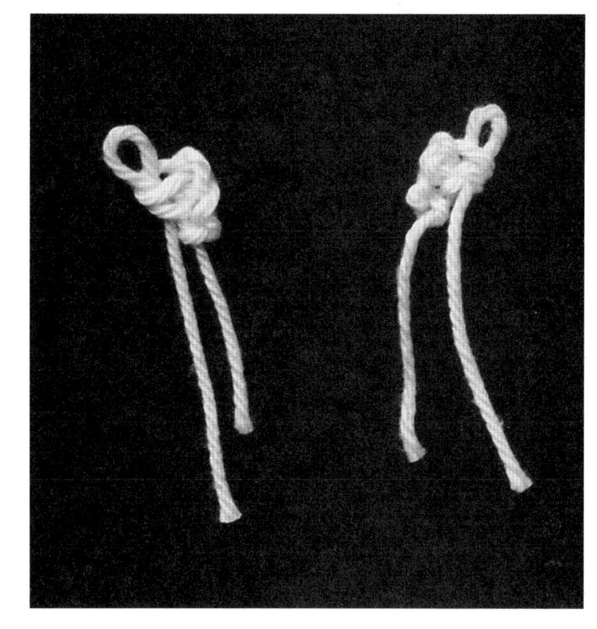

Step 8
Etape 8
Stufe 8

Steps 9–10
Etapes 9–10
Stufen 9–10

From Romania
De Roumanie
Aus Rumänien

Cloverleaf
Trèfle
Kleeblatt

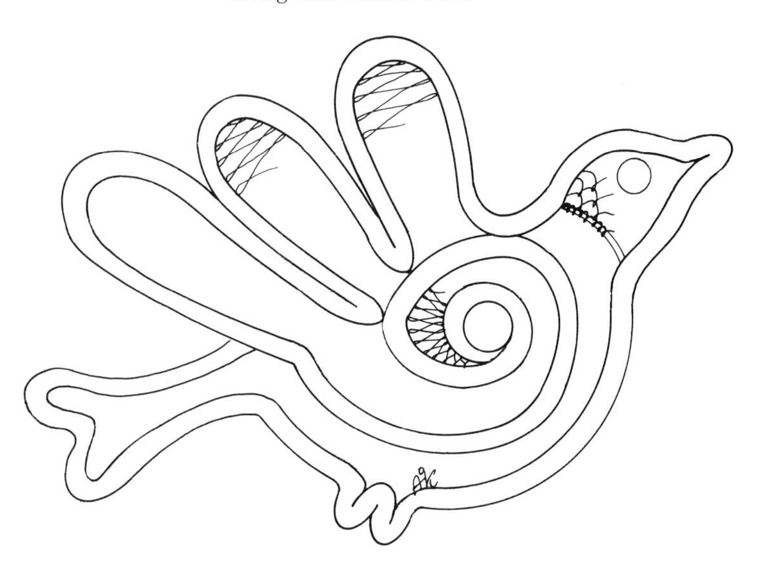

Freedom
Liberté
Freiheit

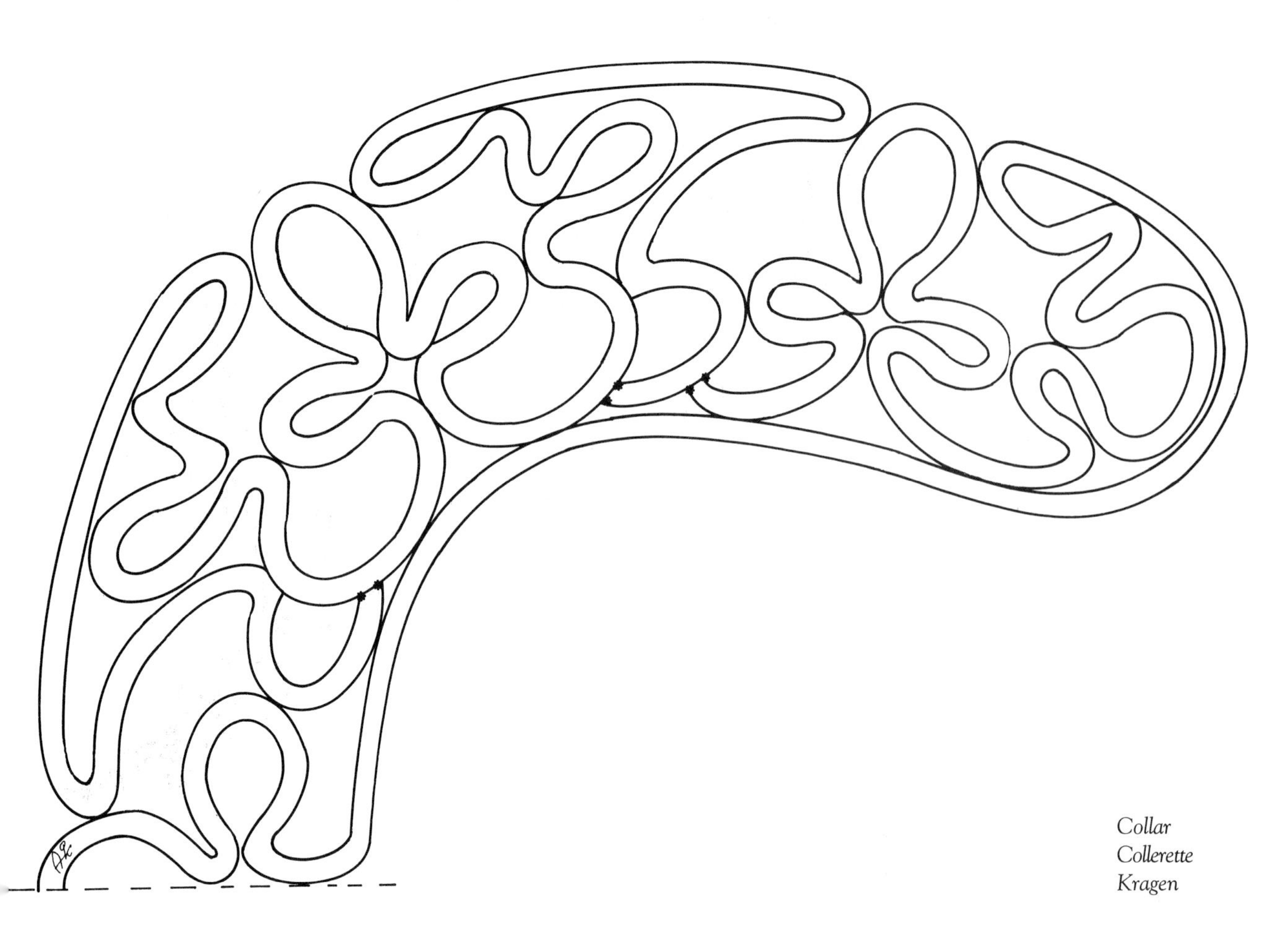

Collar
Collerette
Kragen

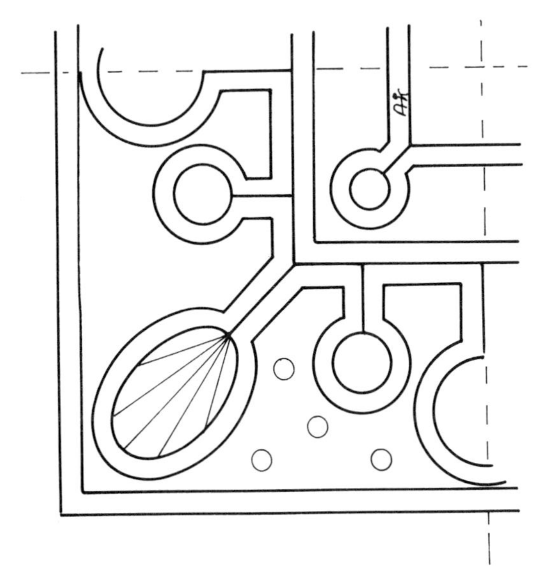

Buxus

Princess Lace

Materials Required

Add to the standard list (see p. 39):

- ready-made Princess tape
- Valenciennes tape (optional)
- a length of tulle

Working Method

The order of work differs from that given on p. 40 as described below.

Princess lace tape
Lacet Princesse
Prinzessinbändchen

Cutting the Tape In some Princess lace tapes a special weave is worked between the motifs (see photograph below) in order to prevent the tape fraying after it has been cut. Make good use of this.

Gathering When working with Princess tape, the gathering thread can be difficult to find in the selvedge. It helps to use a pin for this. The length of tape to be gathered will depend on the pattern, but should be no more than 40 cm. ($15^3/_4$ in.) at a time.

To make the flowers, follow the instructions given in *Shaping the Tape*, step 12, p. 60.

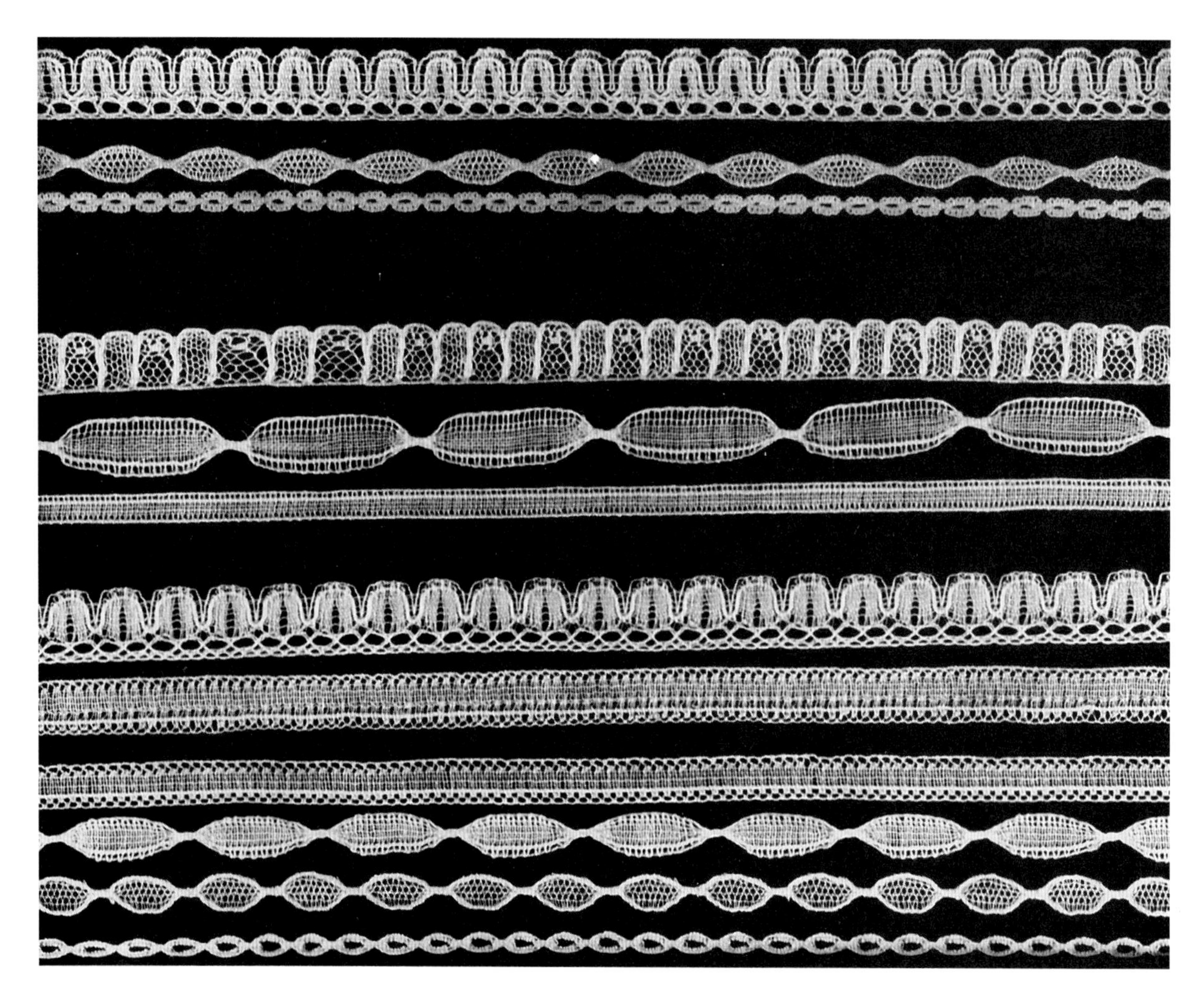

Valenciennes

La Dentelle Princesse

Fournitures nécessaires

Ajoutez à la liste de référence: (voir p. 39)
- le lacet Princesse
- la quantité de tulle qu'il vous faut

Ordre de travail

Les points suivants diffèrent de l'ordre de travail habituel (voir p. 40).

Couper le Lacet Dans certains cas les lacets pour dentelle Princesse sont tissés d'une manière particulière entre les différents motifs (voir photo gauche), afin d'empêcher l'effilochage après coupage. Tenez-en compte.

Fil d'étirage Il est difficile de trouver le fil d'étirage dans un lacet Princesse. Prenez une aiguille et essayez avec précaution de trouver le fil d'étirage dans la lisière. Froncez, en fonction du patron choisi, pas plus de 40 cm. à la fois.

Faites des fleurs comme expliqué dans *Modeler le Lacet*, no. 12, p. 60.

Prinzessinspitze

Benötigtes Material

Fügen Sie der Normalliste hinzu: (siehe s. 39)
- das spezielle Prinzessinbändchen
- die benötigte Menge Tüll

Die Arbeitsgänge

Die nachfolgenden Punkte weichen von der üblichen Arbeitsweise (auf Seite 40) ab:

Schneiden der Litze Bei bestimmten Prinzessinbändchen ist das Band zwischen den Motiven auf besondere Art gewebt (siehe die Photographie links), damit es nach dem Abschneiden nicht ausfasert. Achten Sie darauf.

Ziehfaden Der Ziehfaden ist in einem Prinzessinbändchen manchmal schwer zu finden. Mit einer Stecknadel versucht man möglichst vorsichtig den Ziehfaden in dem Litzenrand zu finden. Je nach dem Muster jeweils nicht mehr als 40 cm. einziehen.

Blümchen macht man wie in *Gestalten der Litze*, Nr. 12, S. 60, erklärt.

Basting

Once the tape is in position, the isolated components such as flowers and leaves can be basted on (see photograph). Now work the needlepoint lace stitches. Continue the work by following the instructions given in *Working with Tulle* (pp. 114–120).

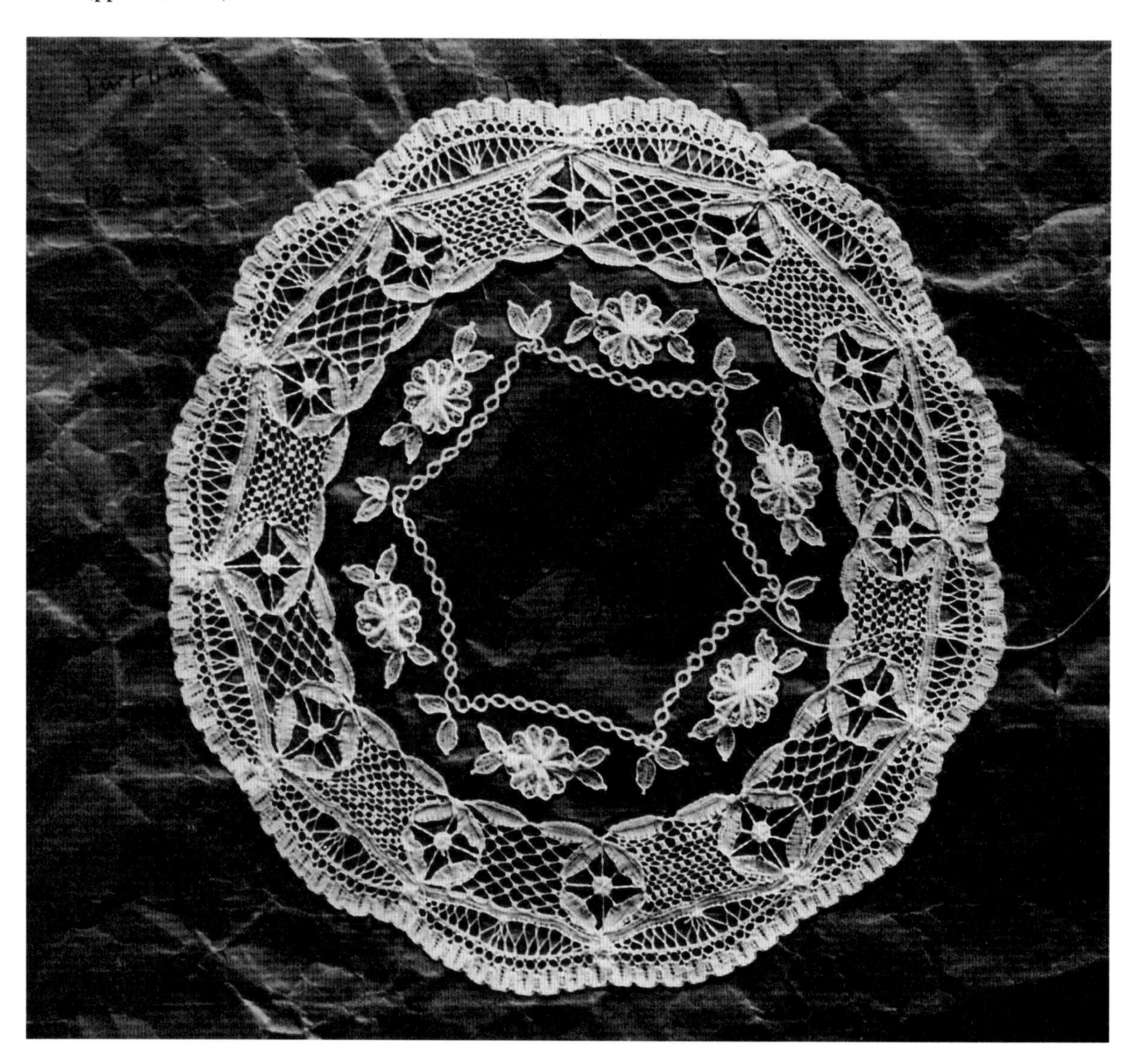

Faufilage

Après avoir bâti le lacet, il faut faufiler les éléments détachés, tels que les fleurs et les feuilles. Ensuite il faut remplir les points décoratifs (voir photo). Continuer suivant les indications du chapitre *Emploi de Tulle* (p. 114).

Heften

Nach dem Aufheften des Bändchens erfolgt das Heften der Einzelteile, wie Blümchen und Blättchen. Sodann werden die Spitzenstiche eingenäht (siehe Photo). Weitergehen wie im Abschnitt *Verwendung von Tüll* erklärt (S. 114).

Fan
Eventail
Fächer

Diamonds
Carreaux
Kariert

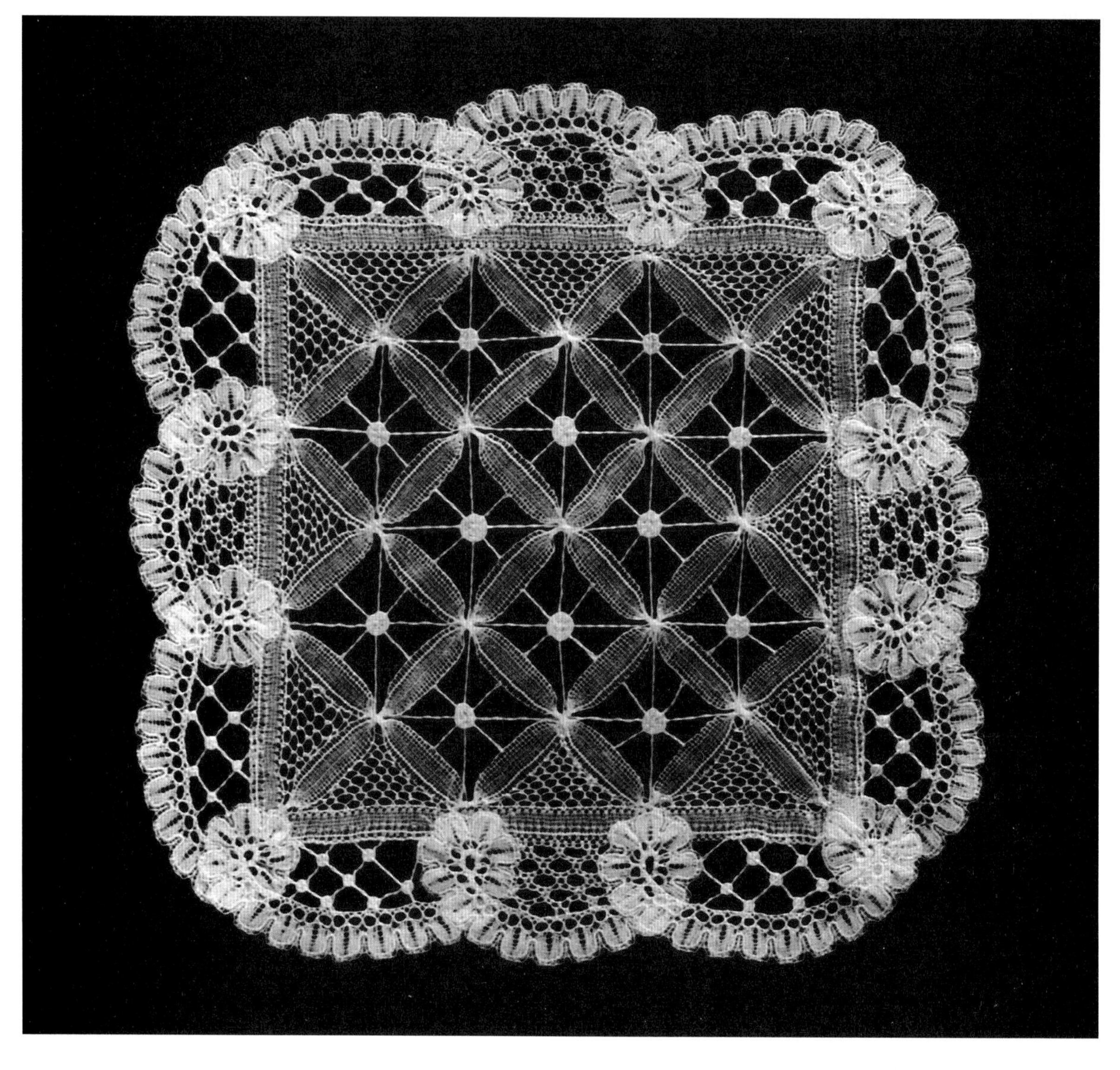

Working with Tulle

Materials Required

Add to the standard list (see p. 39):
- cotton tulle
- thread two or three times the thickness of one bar of the net

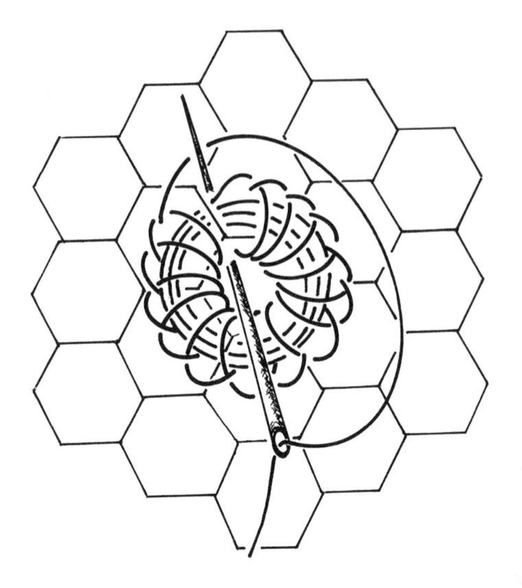

Working Method

Place the tulle over the parts to be covered, making sure that it does not fit too tightly and above all keeping the grain straight. In this way the tulle will stay in shape after it has been removed from the pattern and washed for the first time.

Pin or baste the tulle onto the foundation material. Sew the tulle to the individual motifs (see the instructions for Princess lace, p. 108) and to the edge of the tape bordering the net (see photograph). Work invisible stitches, making every other stitch a knot stitch, for strength.

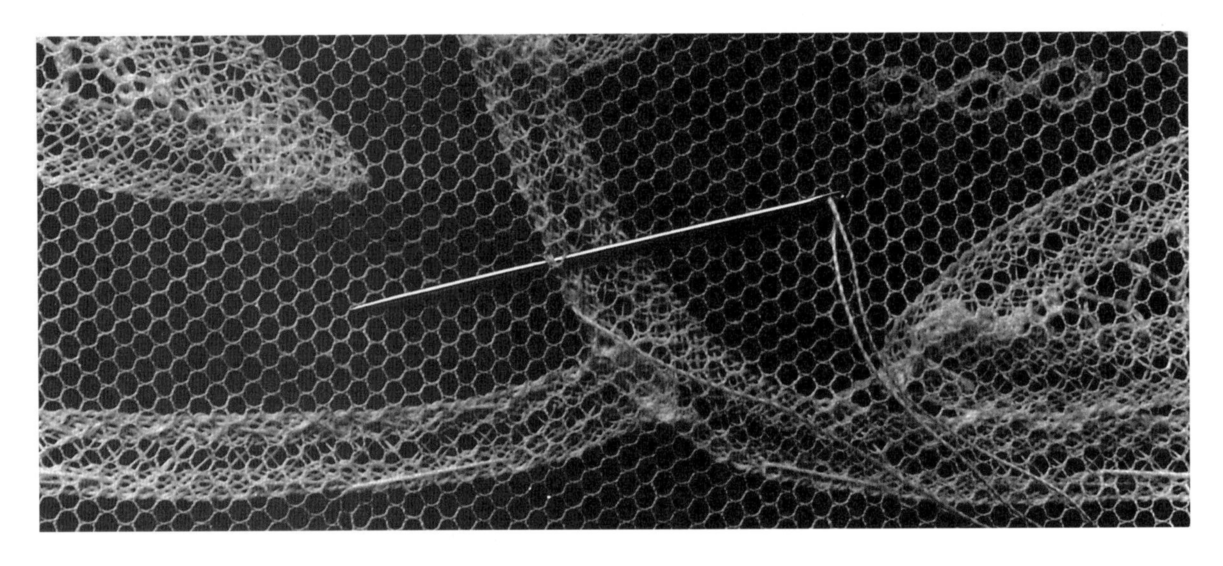

Emploi de Tulle

Fournitures nécessaires

Ajoutez à la liste de référence (voir la page 39):
- tulle de coton
- fil, épaisseur deux à trois fois celle d'une bride de tulle

Verwendung von Tüll

Benötigtes Material

Fügen Sie der Normalliste hinzu (auf Seite 39):
- Baumwolltüll
- Faden, Stärke zwei bis dreimal die eines Tüllstäbchens

Antique tape lace with tulle embroidery
Dentelle au lacet ancienne avec broderie sur tulle
Alte Bändchenspitze mit Tüllspitzenstickerei

Exécution

Couchez le réseau tulle bien à plat sur l'ouvrage, de façon qu'il ne soit pas trop tendu et veillez surtout à ce que le réseau se trouve bien droit. Ainsi on peut empêcher le déjettement après enlèvement du patron ou plus tard, après le premier lavage.

Epinglez et/ou faufilez le réseau tulle sur le matériel de base. Cousez le tulle aux éléments détachés (voir les instructions pour dentelle Princesse, p. 109) et à la lisière du lacet contigue au réseau (voir photo p. 114). Faites de petits points invisibles, un point sur deux étant un point noué, pour la solidité.

Arbeitsweise

Der Tüll soll glatt, nicht zu fest gespannt und bestimmt fadengerade auf die Arbeit gelegt werden. Auf diese Weise vermeiden Sie, dass der Tüll sich zieht, nachdem die Spitze vom Muster entfernt wurde oder später beim Waschen.

Stecken oder heften Sie den Tüll auf das Basismaterial. Nähen Sie den Tüll auf die Einzelteile (siehe Anweisungen für Prinzessinspitze, S. 109) und den Rand der anstossenden Litzen fest (siehe Photo s. 114). Machen Sie unsichtbare Stiche und festigkeitshalber jeden zweiten Stich einen Knotenstich.

Tulle Embroidery Stitches

If you wish to make embroidery stitches on the right side of your work, remove the lace from your pattern and baste it once again, this time with the right side up. Now work the tulle embroidery stitches (see photograph). Wheels and/or pearls are always embroidered or applied to the right side.

The excess tulle is removed only when the work is completely finished. Cut this away very carefully, approximately 3 mm. ($^1/_8$ in.) from the stitches and preferably using lace scissors (with a blunt point).

Those motifs that have fillings are first outlined with a thicker thread. Fig. 1 shows the filling outlined with running stitches, and fig. 2 with overcast stitches, using a thinner thread.

Points de broderie sur tulle

Si vous préférez faire les points de broderie sur le bon côté du travail, enlevez l'ouvrage du patron et faufilez-le à nouveau sur le patron cette fois-ci l'endroit tourné vers le haut. Effectuez les points de broderie sur tulle (voir photo). Les anneaux et/ou perles sont toujours brodés ou attachés à l'endroit de l'ouvrage.

Tüllstickereistiche

Möchten Sie die Tüllspitzenstiche an der rechten Seite des Werkstückes ausführen, dann entfernen Sie die Spitzenarbeit vom Muster und heften sie, jetzt mit der rechten Seite nach oben, wieder auf. Die Tüllspitzenstiche einnähen (siehe Photo). Ringe und/ oder Perlen immer an der rechten Seite einsticken oder befestigen.

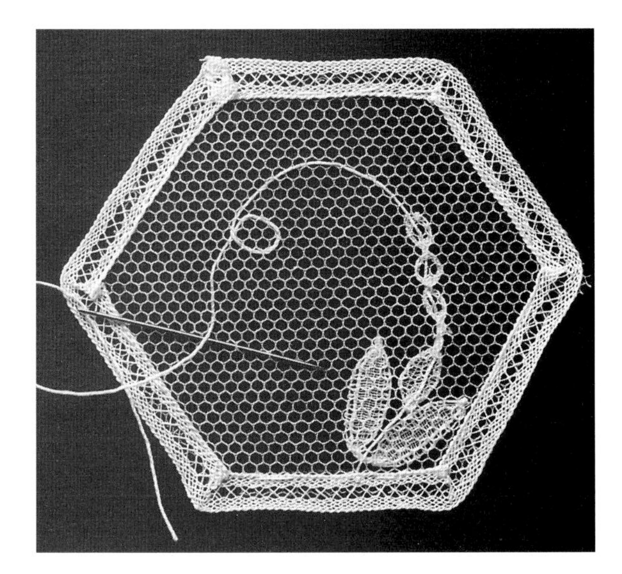

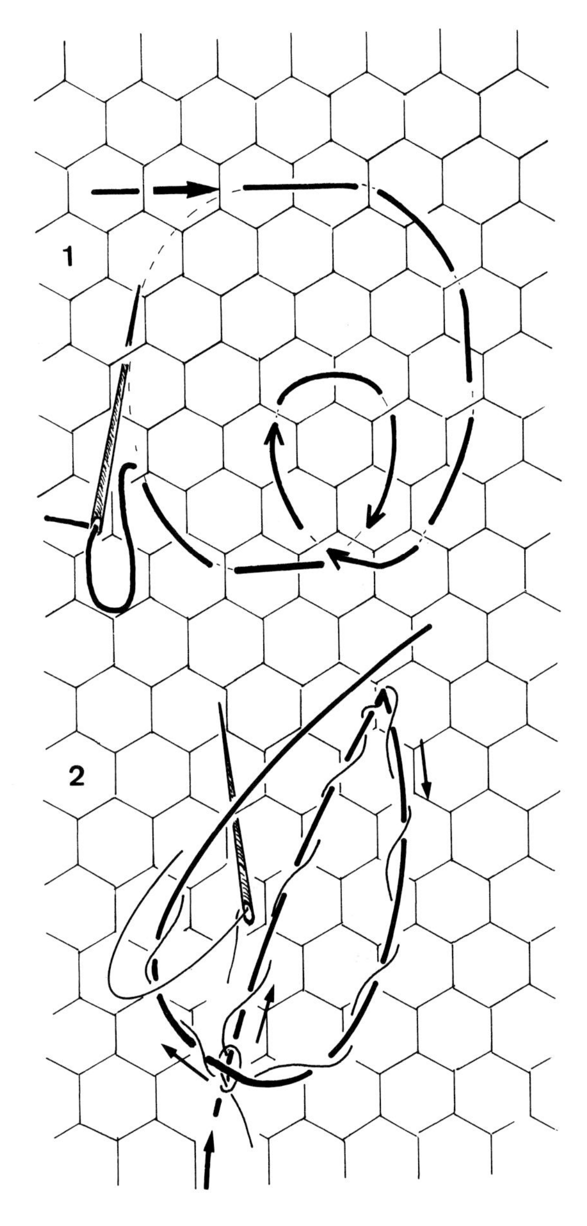

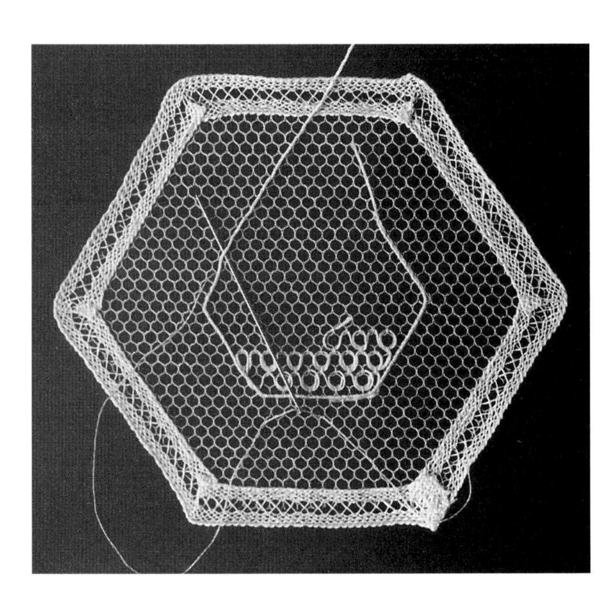

Attendez jusqu'à ce que l'ouvrage soit entièrement terminé avant de découper soigneusement le réseau tulle en excès à une distance de 3 mm. environ des coutures. Servez-vous de préférence d'une paire de ciseaux à dentelle (pointe émoussée).

Un motif avec points de remplissage est d'abord tracé avec un fil plus épais, à points de faufilage (la figure 1), ou avec un fil fin à points de surjet (la figure 2).

Erst wenn das Werkstück ganz fertig ist, dürfen Sie den überflüssigen Tüll im Abstand von etwa 3 mm. von der Näharbeit, am besten mit einer (stumpfen) Spitzenschere, vorsichtig wegschneiden.

Motive die mit Stichen gefüllt werden, zuerst mit einem dickeren Faden trazieren, d.h. den Faden durch den Tüll reihen (siehe Figur 1) oder mit einem dünneren Faden auf dem Tüll festnähen (siehe Figur 2).

Darning Stitches
Point de reprise
Stopfstiche

1 Diagonal crossing
1 Croisé en diagonale
1 Diagonal sich kreuzend

2 Waves
2 Ondes
2 Wellen

3 Oblique: worked backwards and forwards
3 Aller et retour oblique
3 Hin und her schräg

4 Working over one mesh
4 Par-dessus une maille
4 Über eine Tüllmasche

5 Working twice around one mesh
5 Deux fois autour d'une maille
5 Zweimal um eine Tüllmasche herum

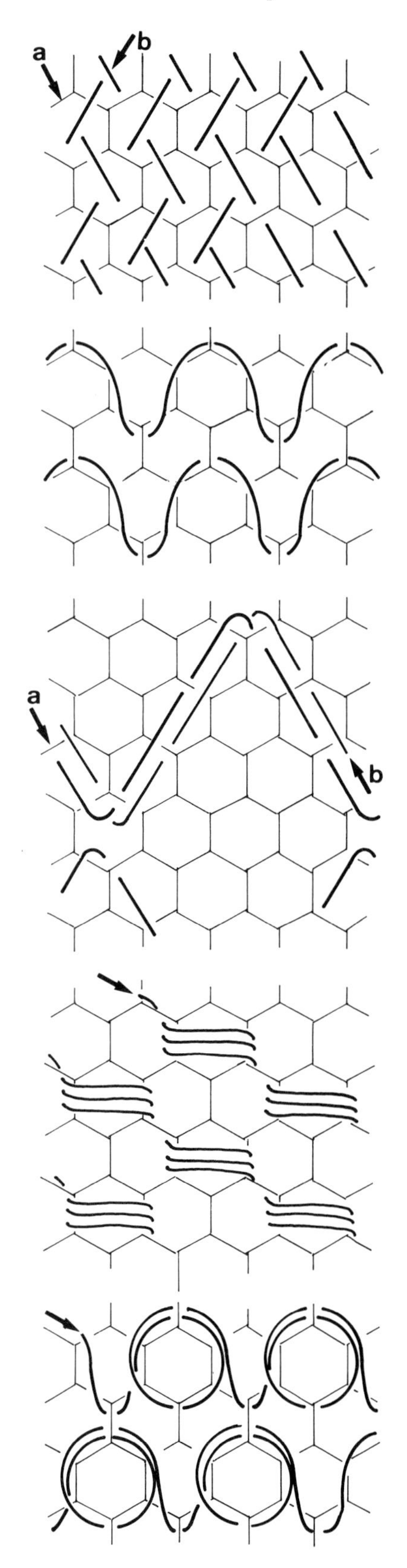

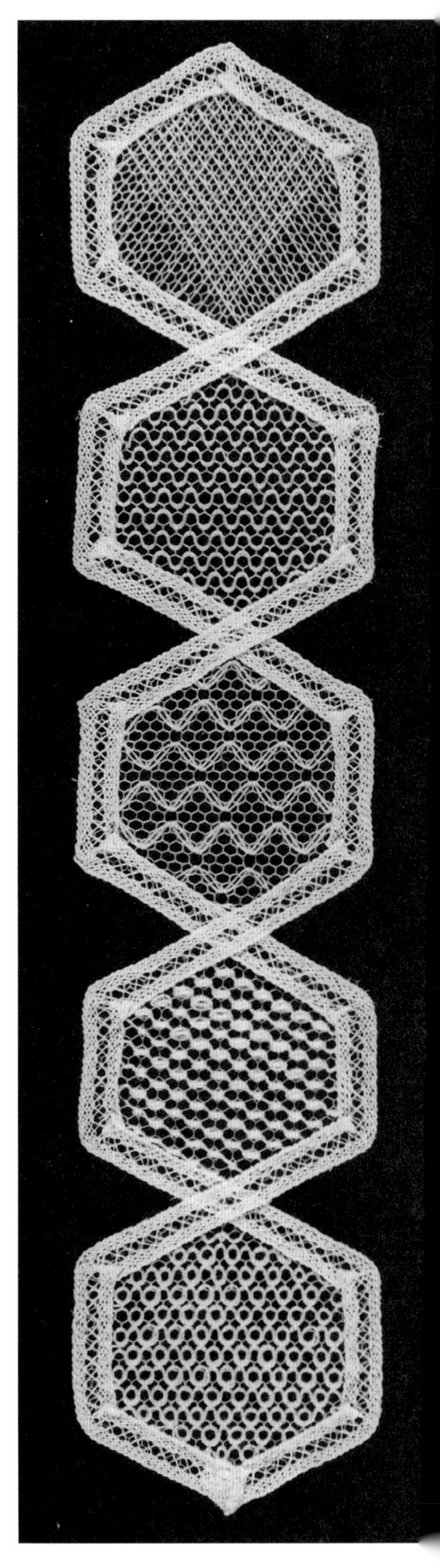

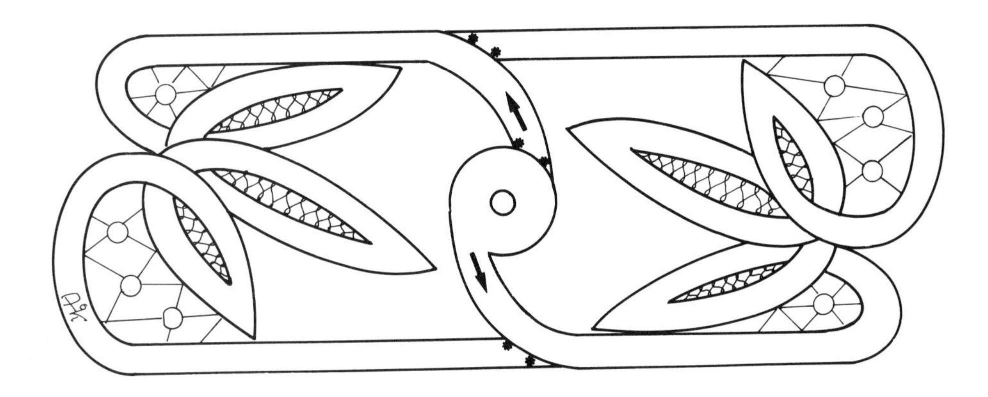

Spring
Printemps
Frühling

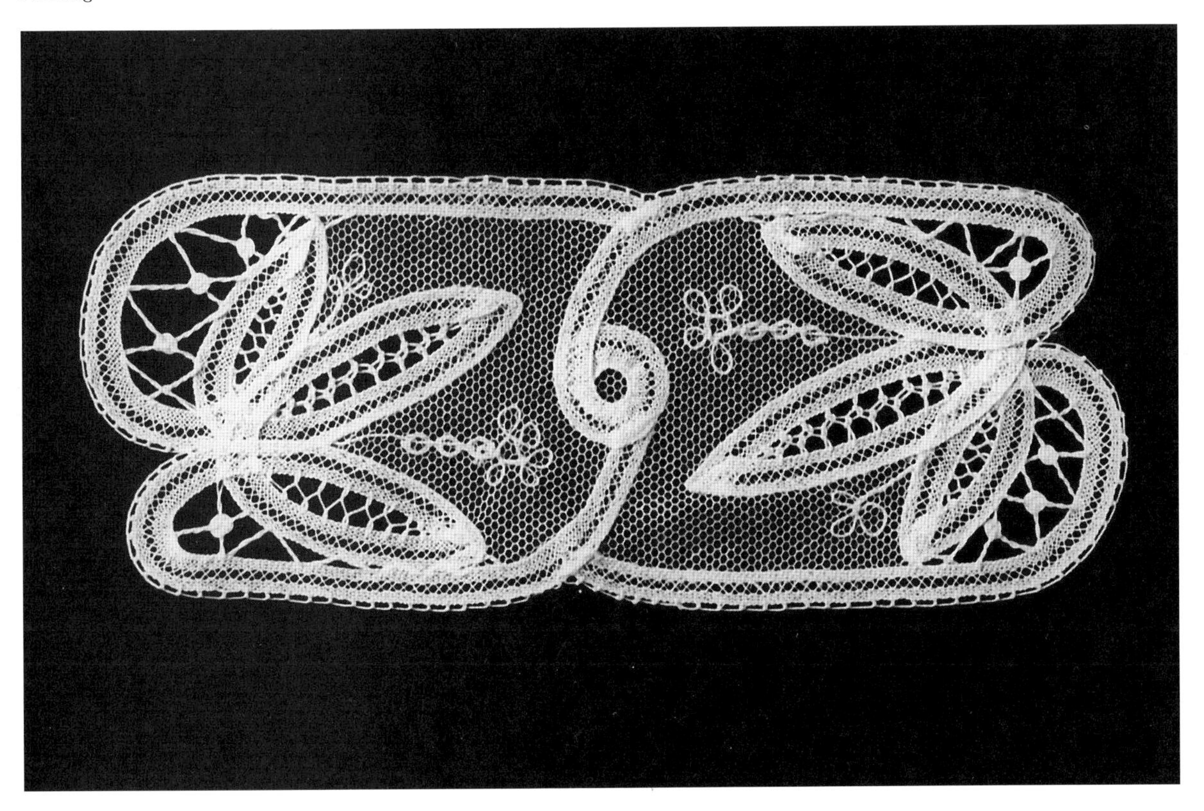

Coaster
Sous-verre
Untersatz

III
The Stitches

Les Points
Die Stiche

Knot Stitches

Knot stitches are often used in the making of tape lace, for joining on and casting off, for stretching the threads, and for decorative stitches.

The knot is created as follows:

1 Lay a loop to the left or right (see diagram).
2 Push the needle upwards through the loop.
3 Pull the thread.

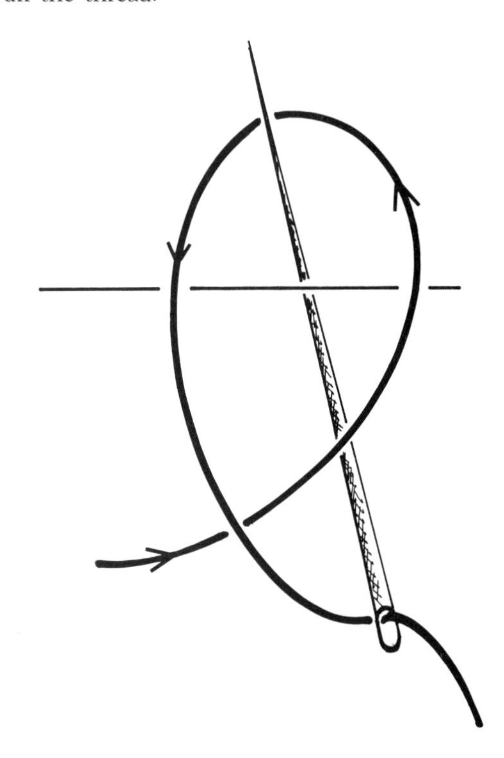

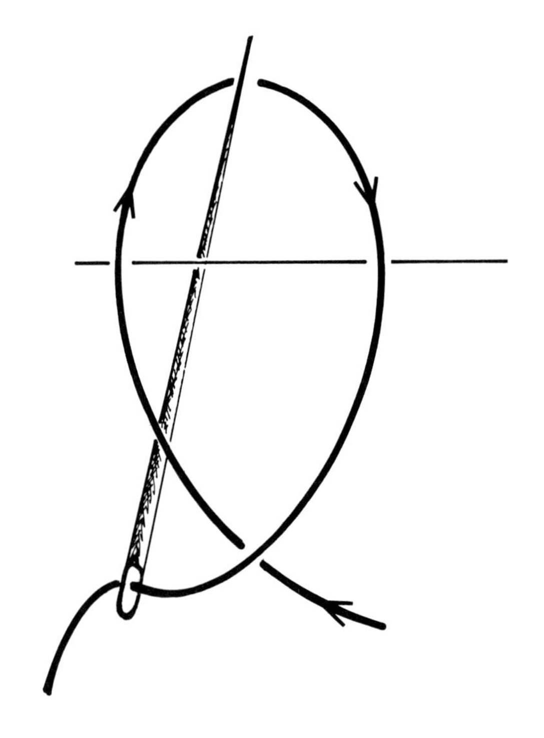

Points Noués

Le point noué est un point très commun dans toutes les phases de la réalisation de la dentelle à lacet, comme par exemple pour raccorder et arrêter les fils, pour tendre les fils et dans les points décoratifs.

Formez le point noué comme suit:

1 Posez une boucle à gauche ou à droite (voir la figure).
2 Passez l'aiguille par la boucle de bas en haut.
3 Serrez.

Knotenstiche

Der Knotenstich wird bei der Herstellung von Bändchenspitze in jeder Phase häufig angewandt, zum Verbinden und Verschlingen, zum Spannen von Fäden, und bei den Zierstichen.

So machen wir den Knoten:

1 Eine Schlinge nach links oder rechts legen (siehe Figur).
2 Die Nadel von unten nach oben durch die Schlinge führen.
3 Anziehen.

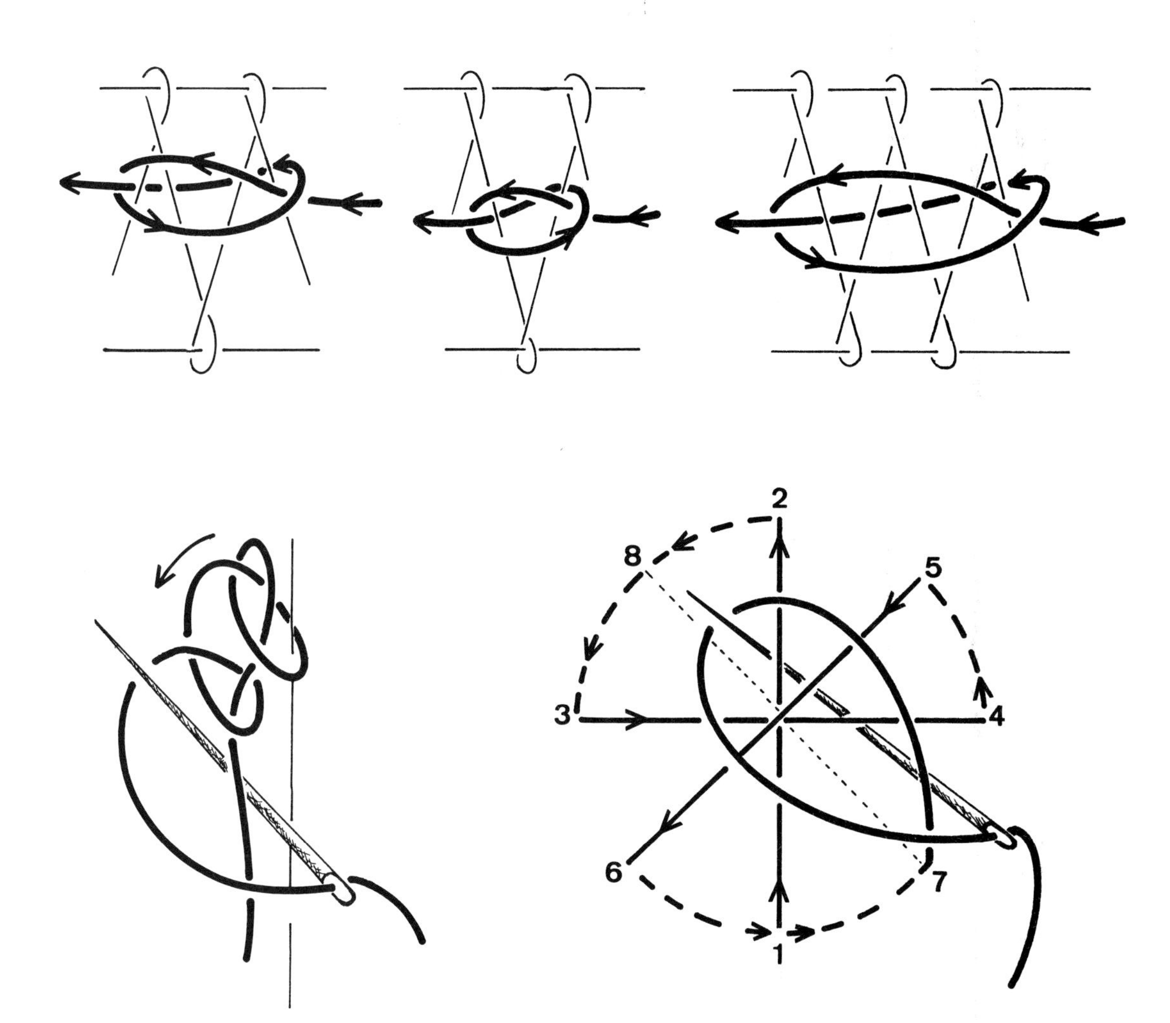

Different ways of working a knot stitch
Les differentes apphcations du point noué
Die verschiedenen Anwendungsmöghclen des knoten stiches

Laying a Taut Cord

When filling a space in a pattern, it is often necessary to stretch the threads from one side to the other. In order to achieve the correct tension, work as described below.

Make a knot stitch (see p. 122) but do not tighten the knot. Insert the needle in the loop of the almost-completed knot (see photograph). Pull the thread gently away from you with one hand, and the needle in the loop towards you with the other hand. In this way, you will be able to gauge the tension.

When the correct tension is achieved, remove the needle from the loop, at the same time pulling a little at the thread.

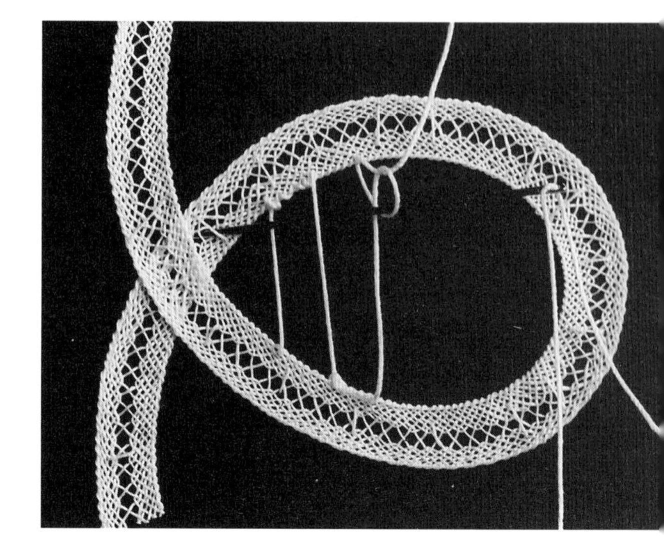

Tension d'un Fil Porteur

Beaucoup de remplissages se forment à l'aide de fils porteurs tendus d'un côté d'un espace à l'autre. La tension correcte de ces fils est obtenue comme suit:

Faites un point noué (voir p. 122) que vous ne serrez pas. Mettez l'aiguille dans la boucle du noué qui est en train de se faire (voir photo). Maintenant, tirez le fil doucement en arrière avec une main, tout en tirant la boucle en avant avec l'aiguille dans l'autre main. Ainsi vous pouvez vous-même déterminer la tension du fil.

Lorsque la tension correcte est obtenue, retirez l'aiguille de la boucle tout en resserrant le fil légèrement.

Spannen eines Einlagefadens

Manche Füllmuster entstehen mit Hilfe von Einlagefäden, die von einer Seite zur anderen über ein auszufüllendes Feld gespannt werden. Die richtige Spannung dieser Fäden wird wie folgt realisiert:

Machen Sie einen Knotenstich (siehe S. 122) den Sie nicht sofort anziehen. Stecken Sie die Nadel in die entstandene Schlinge dieses Knotens (siehe Photo). Mit der einen Hand ziehen Sie dann den Arbeitsfaden ein wenig nach hinten und zu gleicher Zeit ziehen Sie mit der anderen Hand die Nadel in der Schlinge nach vorn. So können Sie selber die Fadenspannung bestimmen.

Wenn die richtige Spannung erreicht ist, nehmen Sie die Nadel aus der Schlinge heraus und ziehen Sie den Arbeitsfaden leicht an.

Christmas decorations
Décorations de Noël
Weihnachtsschmuck

Sampler
Echantillon
Vorübung

140 Stitches for Use in Tape Lace

140 Points décoratifs pour dentelle au lacet
140 Zierstiche für Bändchenspitze

Abbreviations

Abréviations
Abkürzungen

r.s	Russian stitch
p.r	Point russe
r.s	Russischer Stich
bh.s	buttonhole stitch
pt.f	point de feston
Sch.s	Schlingenstich
st.	stitch
pt.	point
St.	Stich

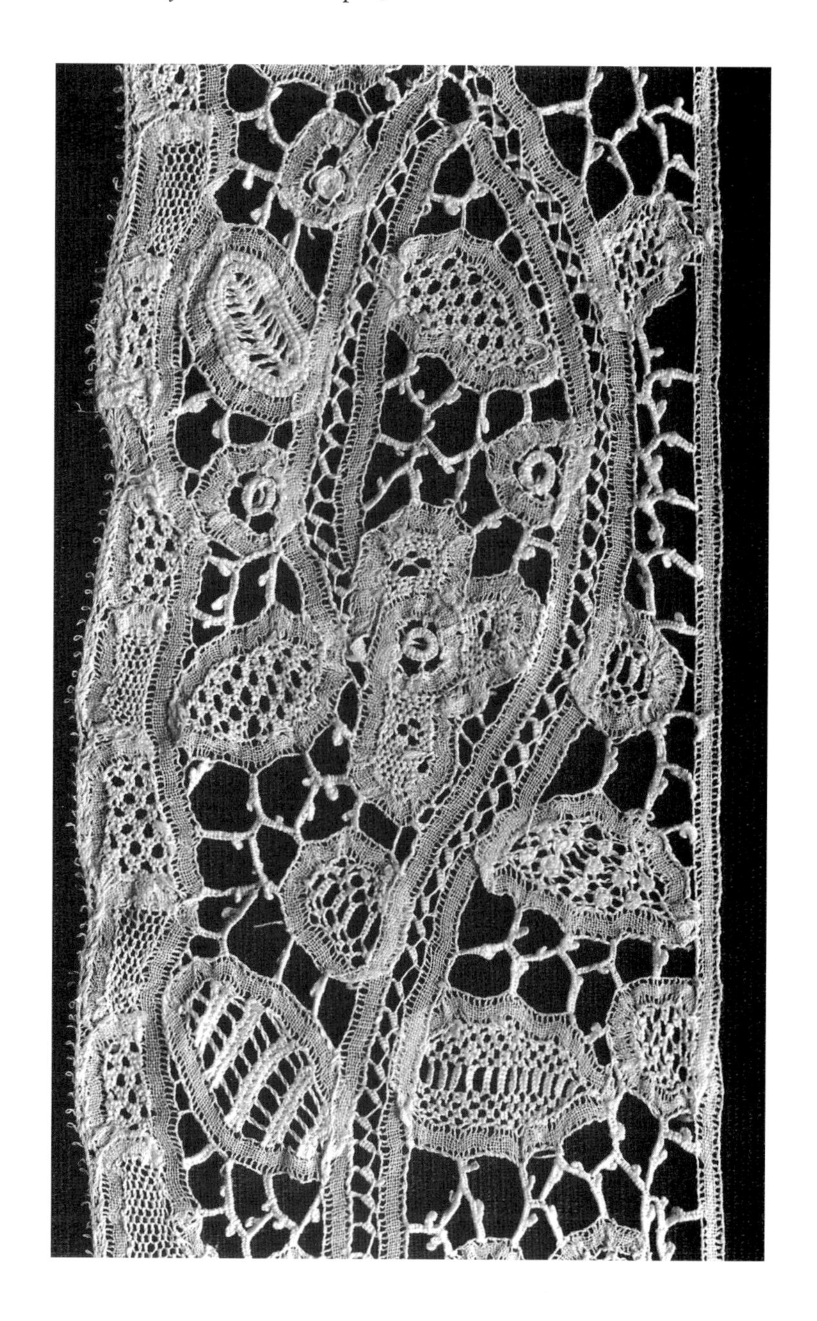

Russian Stitch

Point Russe
Russischer Stich

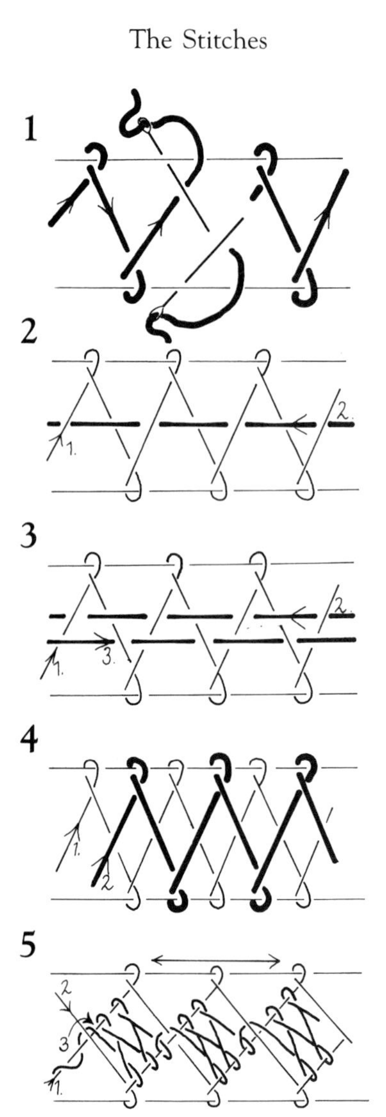

1 *plain*
1 *simple*
1 *einfach*

2 *with one thread woven through*
2 *avec un fil entrelacé*
2 *mit einem Faden durchwebt*

3 *as st. 2, with two threads*
3 *comme pt. 2, avec deux fils*
3 *wie St. 2, mit zwei Fäden*

4 *two rows crossing each other*
4 *deux rangées entrecroisées*
4 *zwei sich kreuzende Reihen*

5 *as st. 4, distance 1 cm., squares filled with st. 1*
5 *comme pt. 4, distance 1 cm., carreaux remplis de pt. 1*
5 *wie St. 4, Entfernung 1 cm., Vierecke durch St. 1 ausgefüllt*

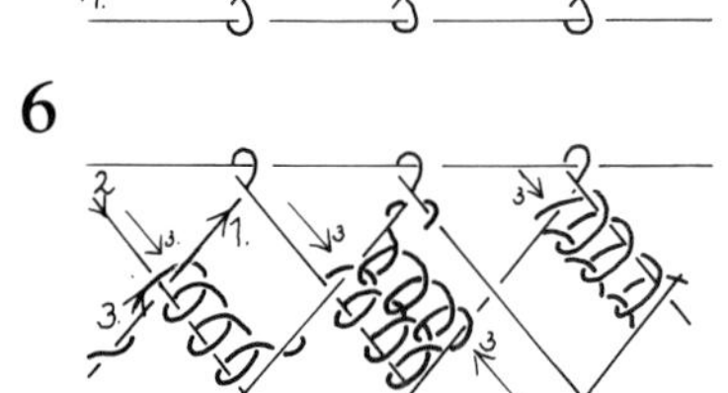

6 *as st. 5, filled with st. 41*
6 *comme pt. 5, rempli de pt. 41*
6 *wie St. 5, mit St. 41 ausgefüllt*

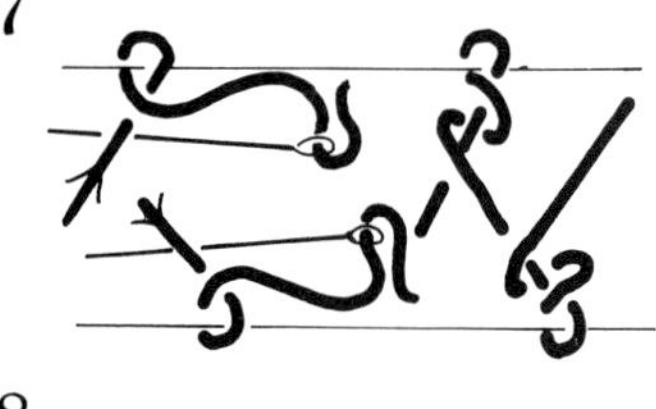

7 *twisted*
7 *tourné*
7 *gedreht*

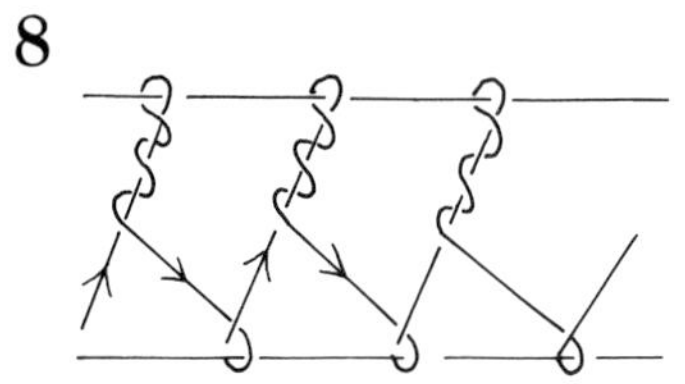

8 *as st. 7, at the top only*
8 *comme pt. 7, vers le haut uniquement*
8 *wie St. 7, nur oben*

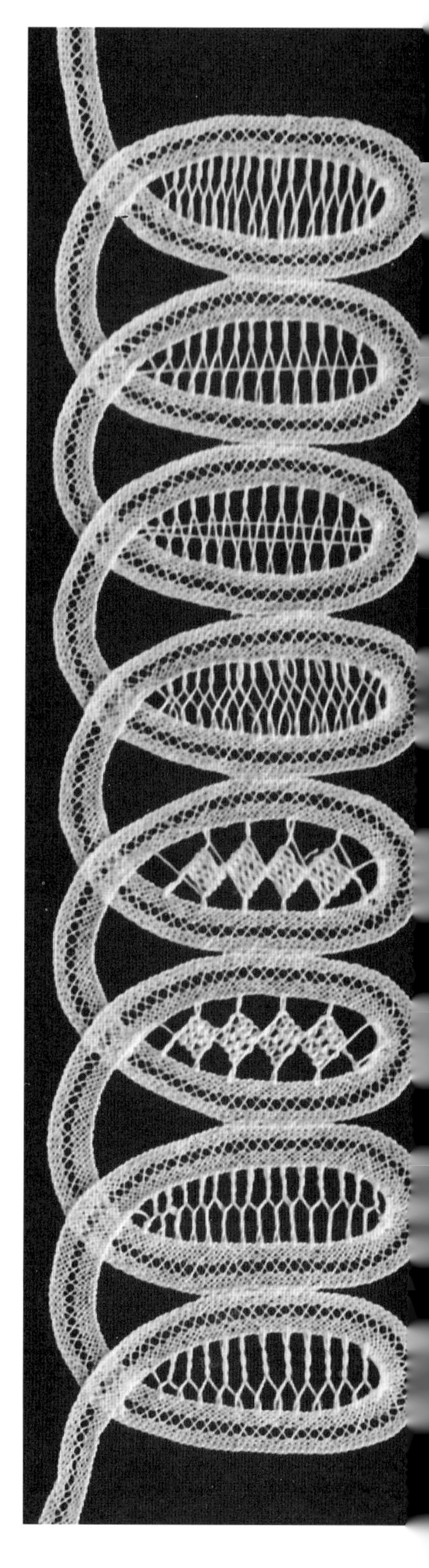

9 *vertical bars with bh.s*
9 *brides verticales à pt.f*
9 *vertikale Stäbchen mit Sch.s*

9

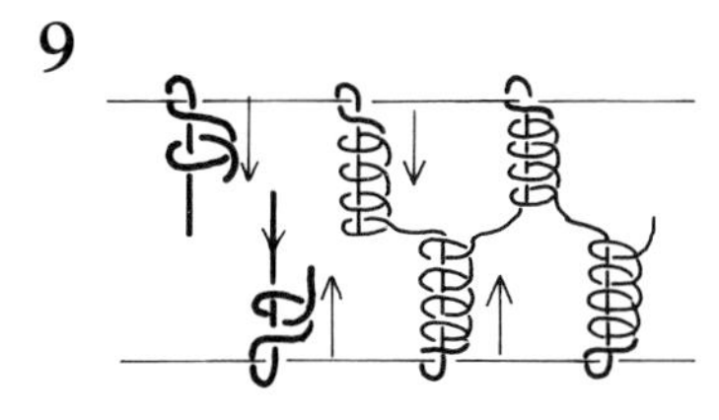

10 *as st. 9, without r.s*
10 *comme pt. 9, sans p.r*
10 *wie St. 9, ohne r.s*

10

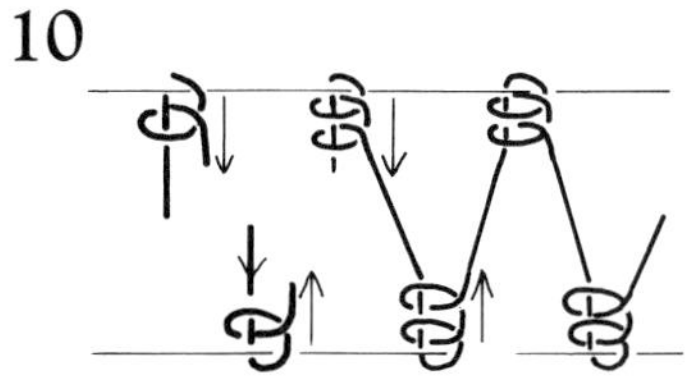

11 *three bh.s over each st.*
11 *trois pt.f par-dessus chaque pt.*
11 *drei Sch.s über jeden St.*

11

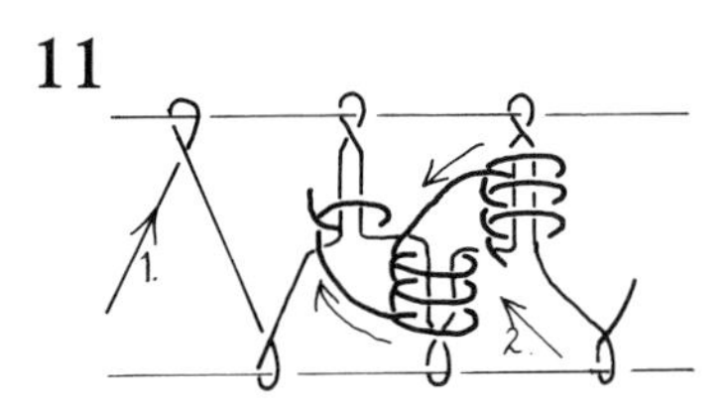

12 *three bh.s over two st.*
12 *trois pt.f par-dessus deux pt.*
12 *drei Sch.s über zwei St.*

12

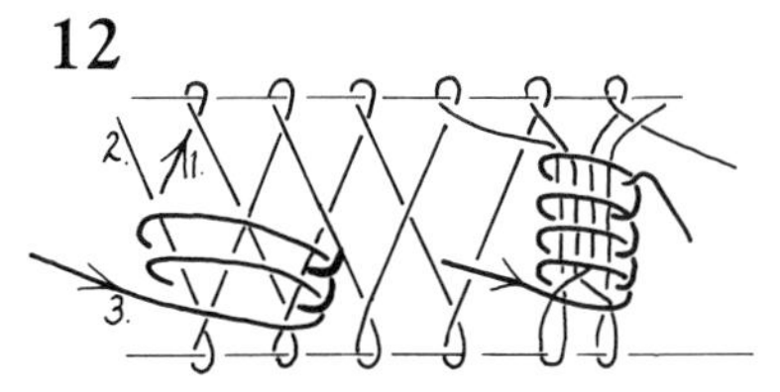

13 *whipped*
13 *à points de surjet*
13 *umwickelt*

13

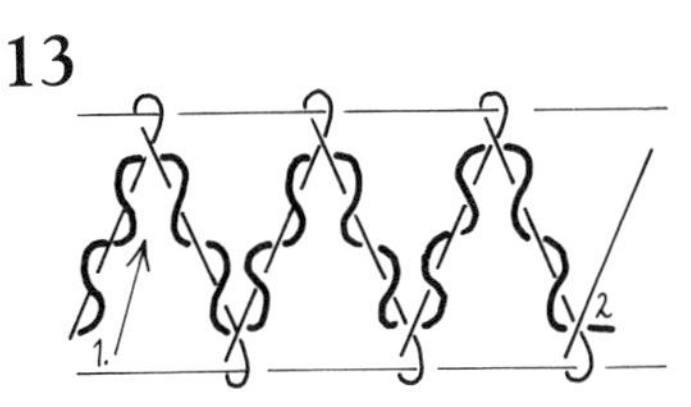

14 *fan-shaped*
14 *en éventail*
14 *fächerförmig*

14

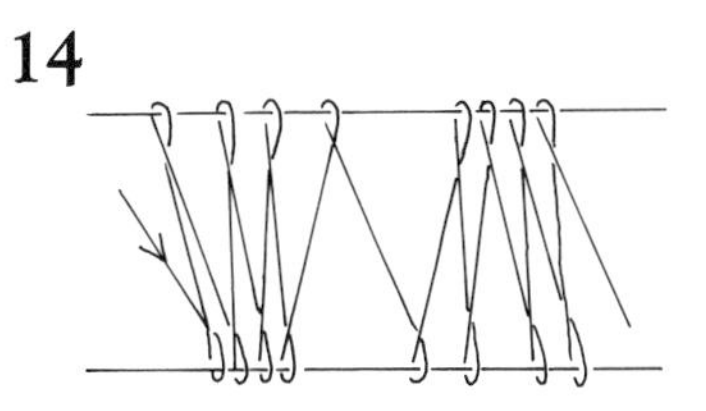

15 *imitation r.s, joining opposite loops of bh.s*
15 *imitation p.r, réunissant les boucles opposées d'un pt.f*
15 *Imitation r.s, zur Verbindung von gegenüberliegenden Sch.s*

16 *variation on st. 15*
16 *variation sur pt. 15*
16 *Variation auf St. 15*

15

16

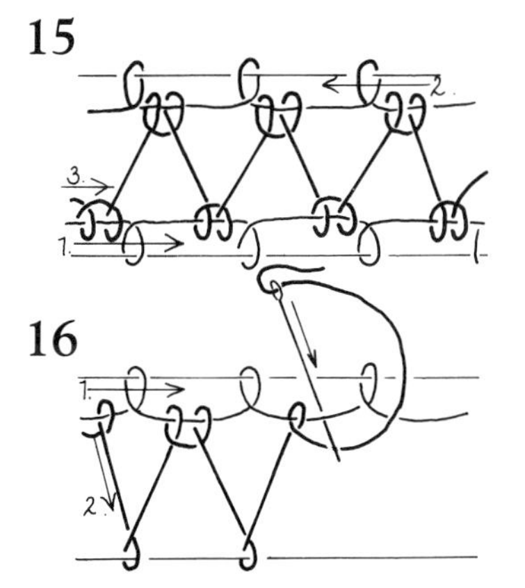

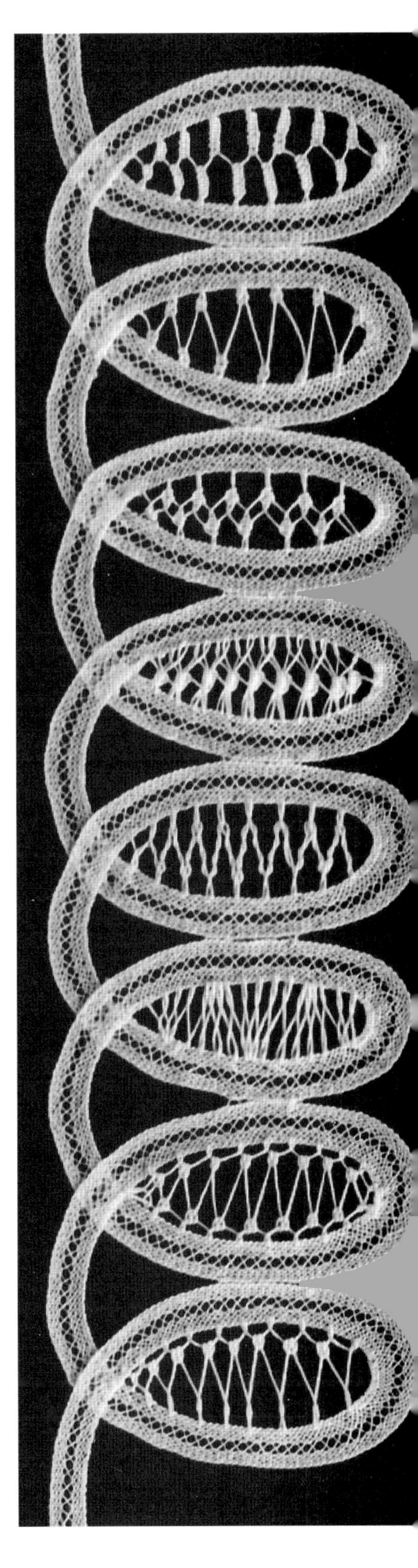

17 *as st. 11, with one bh.s over one st.*
17 *comme pt. 11, avec un pt.f par-dessus 1 pt.*
17 *wie St. 11, mit einem Sch.s über einen St.*

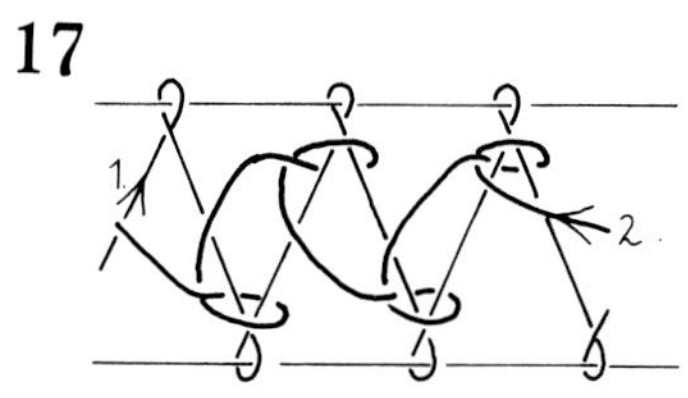

18 *two bh.s, over two adjacent half-st.*
18 *deux pt.f, par-dessus deux demi-pt. contigus*
18 *zwei Sch.s, über zwei angrenzende Halbst.*

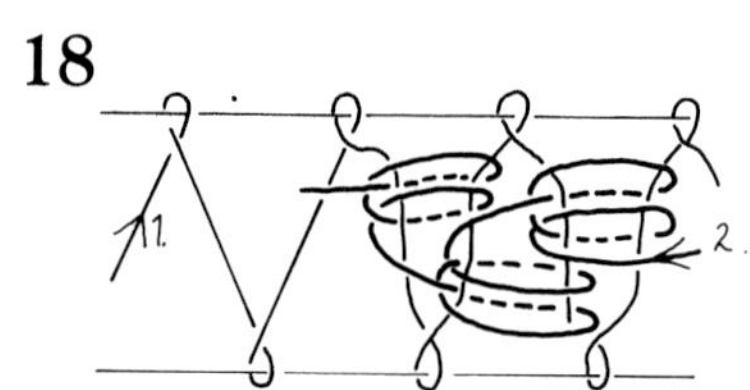

19 *two rows interlaced*
19 *deux rangées entrelacées*
19 *zwei verschlungene Reihen*

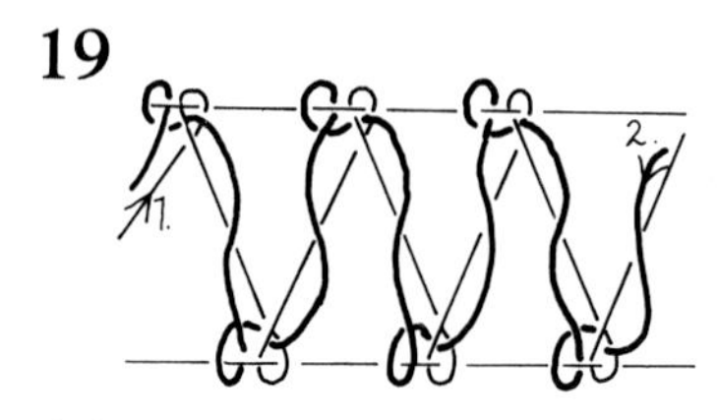

20 *triangles worked in point de reprise*
20 *triangles au point de reprise*
20 *Dreiecke im Stopfstiche ausgeführt*

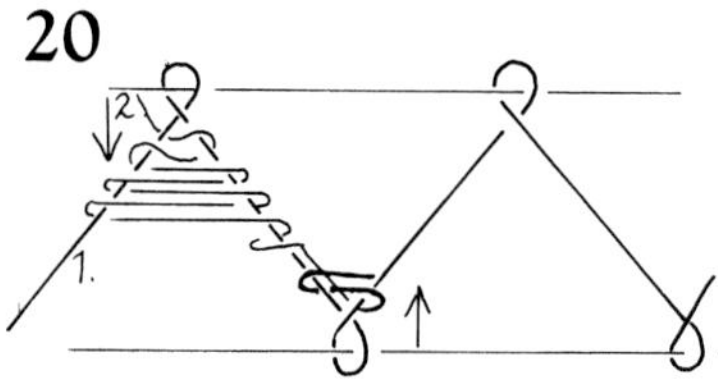

21 *as st. 15, connected by st. 7*
21 *comme pt. 15, raccordé par pt. 7*
21 *wie St. 15, verbunden durch St. 7*

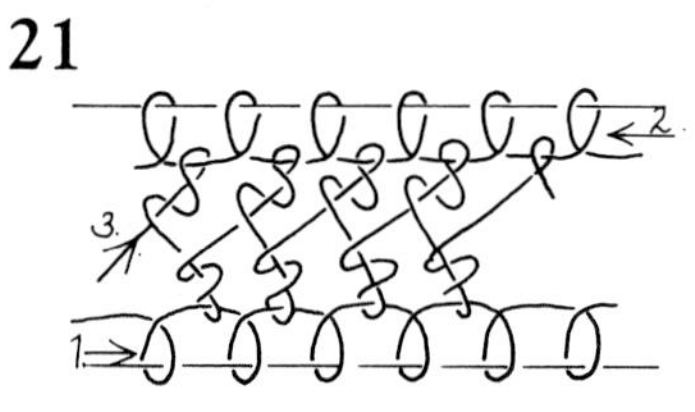

22 *as st. 15, with two r.s in each loop*
22 *comme pt. 15, 2 p.r dans chaque boucle*
22 *wie St. 15, 2 r.s in jeder Schlinge.*

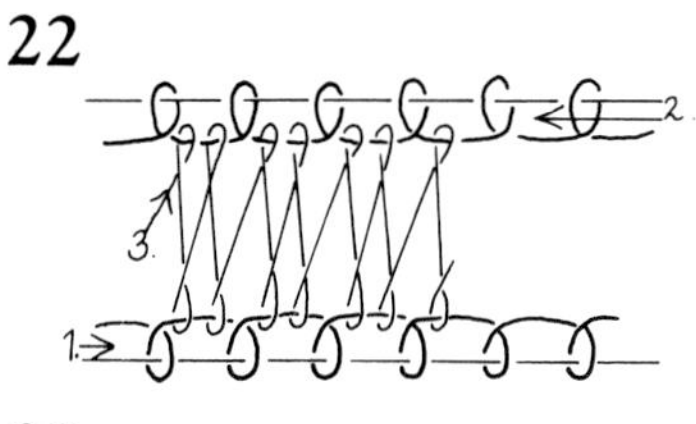

23 *as st. 15, connected by st. 4*
23 *comme pt. 15, raccordé par pt. 4*
23 *wie St. 15, verbunden durch St. 4*

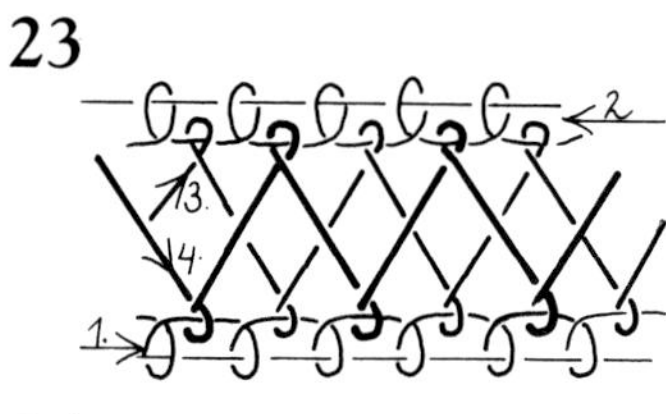

24 *in layers to fill large spaces*
24 *remplissage en étages pour grands espaces*
24 *gegliedertes Ausfüllen grösserer Flächen*

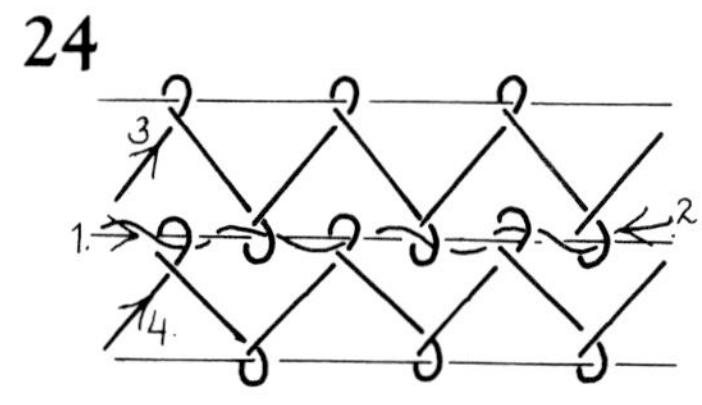

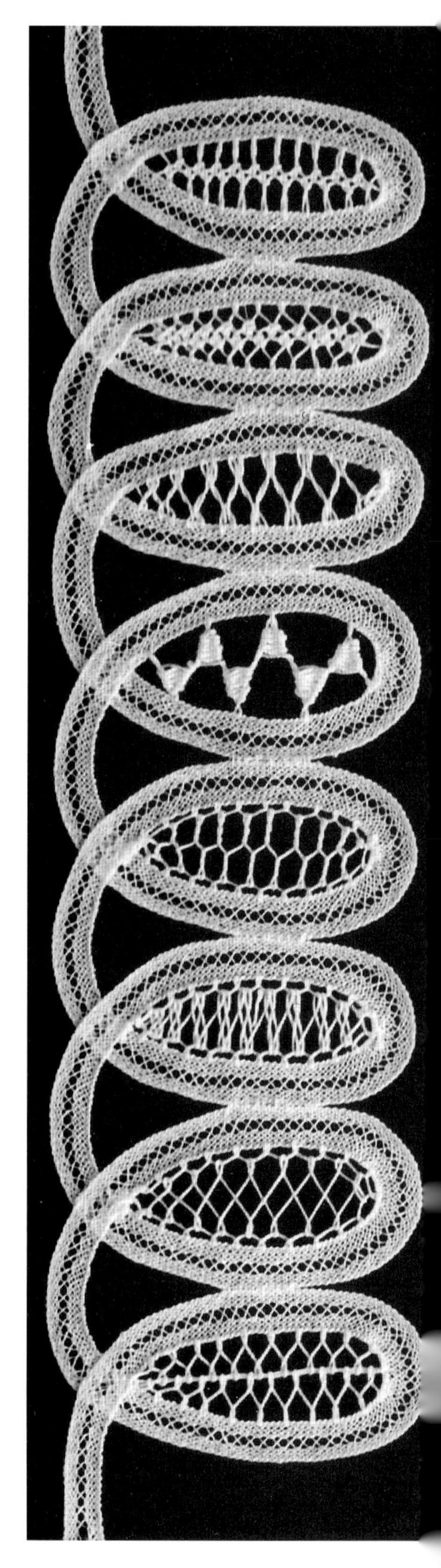

Russian Stitch with Knot stitch

Point russe avec point noué
Russischer Stich mit Knotenstich

25

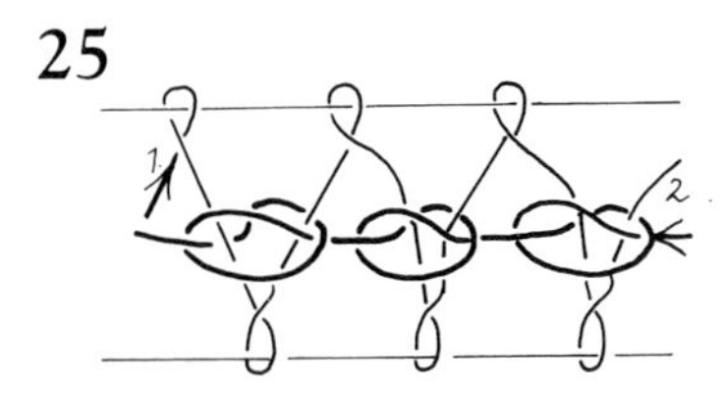

25 *one row over one st.*
25 *une rangée par-dessus un pt.*
25 *eine Reihe über einen St.*

26

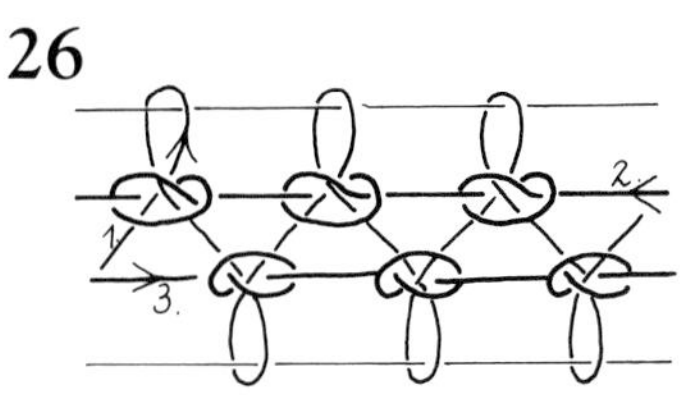

26 *two rows over one st.*
26 *deux rangées par-dessus un pt.*
26 *zwei Reihen über einen St.*

27

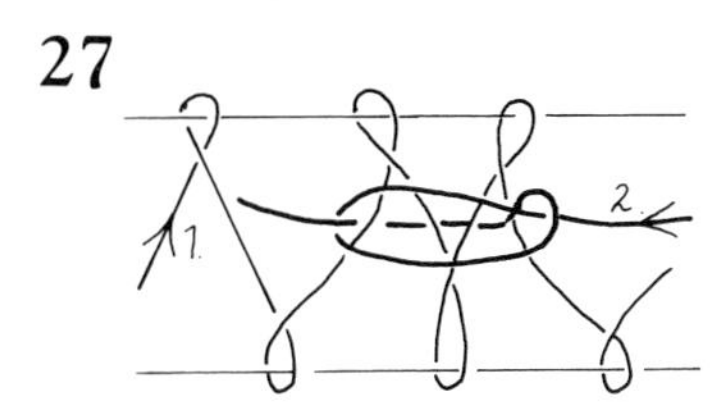

27 *one row over two st.*
27 *une rangée par-dessus deux pt.*
27 *eine Reihe über zwei St.*

28

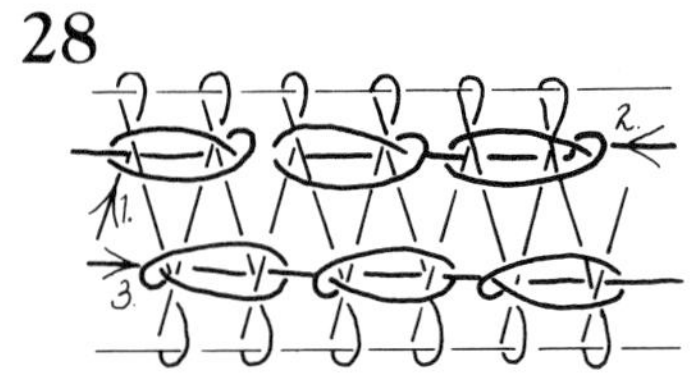

28 *two rows over two st.*
28 *deux rangées par-dessus deux pt.*
28 *zwei Reihen über zwei St.*

29

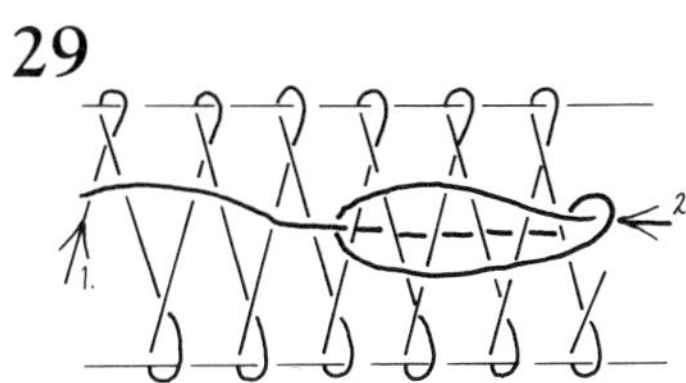

29 *one row over three st.*
29 *une rangée par-dessus trois pt.*
29 *eine Reihe über drei St.*

30

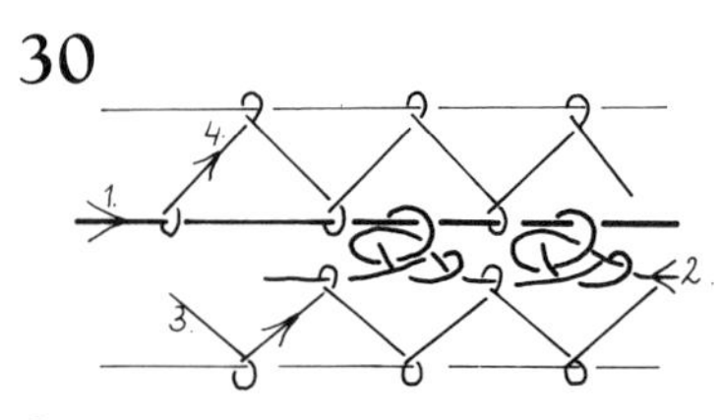

30 *first centre section: see page 123. Fill up with st. 1*
30 *d'abord au milieu: voir la page 123. Rempli de pt. 1*
30 *zuerst in der Mitte: siehe Seite 123. Durch St. 1 ausfüllen*

31

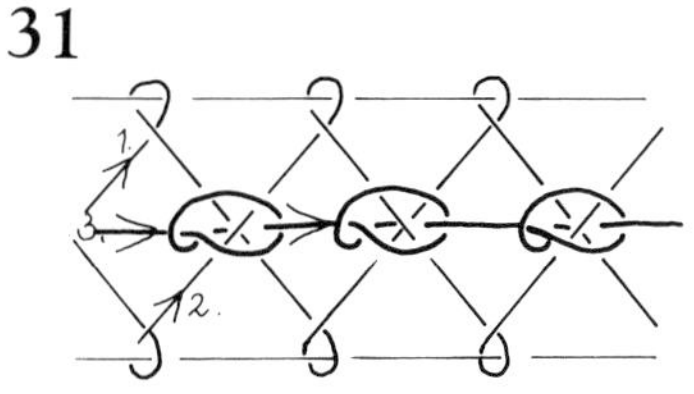

31 *one row on intersections of st. 4*
31 *une rangée aux intersections du pt. 4*
31 *eine Reihe in den Kreuzungen des St. 4*

32

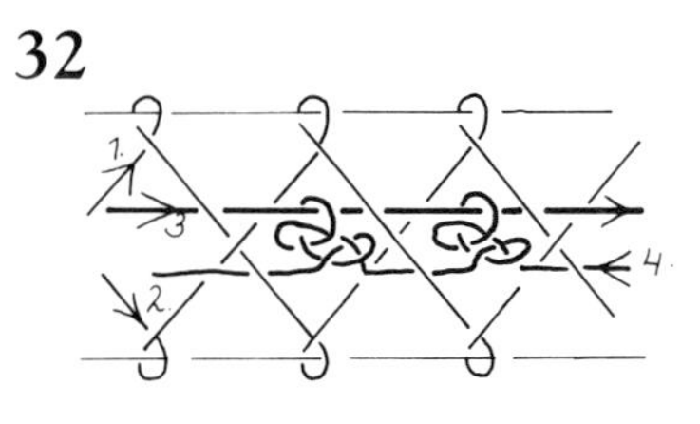

32 *st. 4, with st. from page 123 woven in the middle*
32 *pt. 4, avec pt. de la page 123 tissé au milieu*
32 *St. 4, mit St. auf Seite 123 in der Mitte durchwebt*

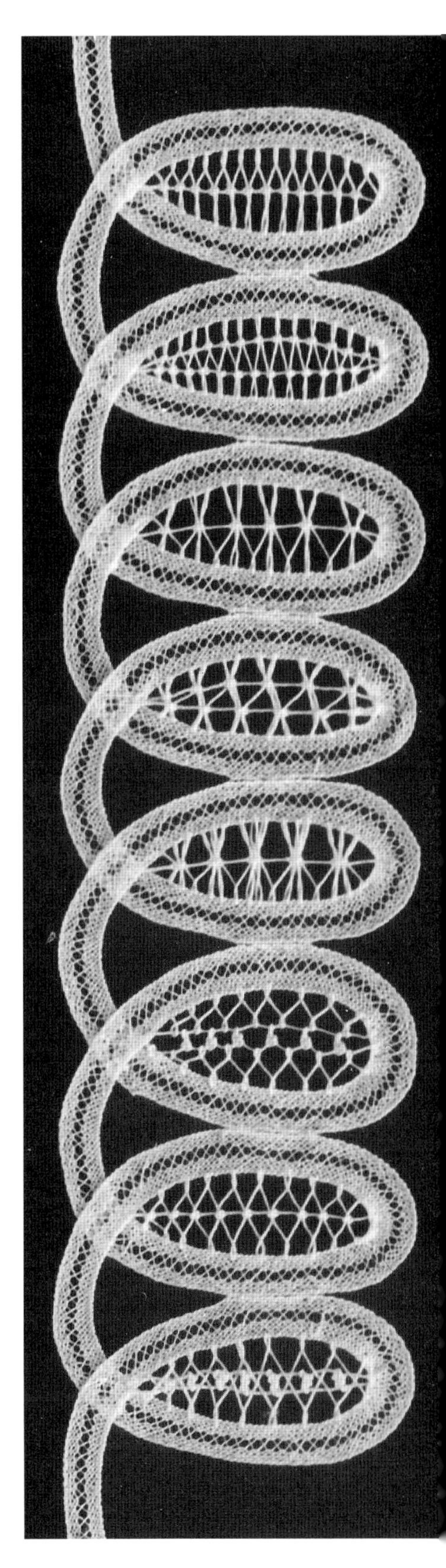

Taut Parallel Stitches

Points parallèles à fils tendus
Gespannte Parallelstiche

33 *plain*
33 *simple*
33 *einfach*

33

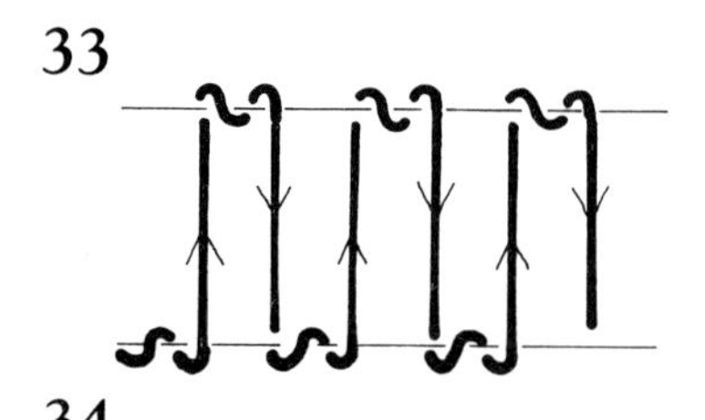

34

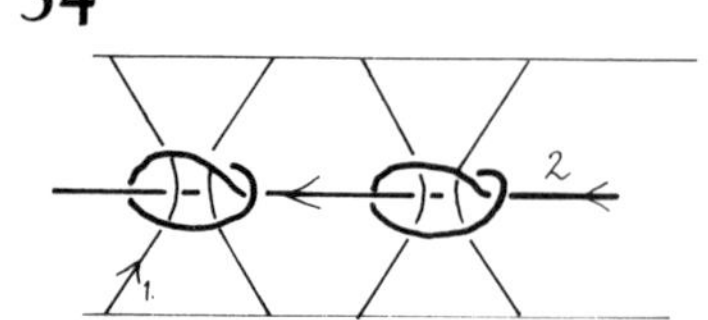

34 *with one row of knot st.*
34 *avec une rangée de pt. noués*
34 *mit einer Reihe Knotenst.*

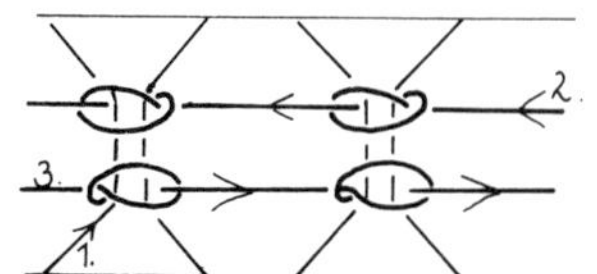

35 *with two rows of knot st.*
35 *avec deux rangées de pt. noués*
35 *mit zwei Reihen Knotenst.*

36

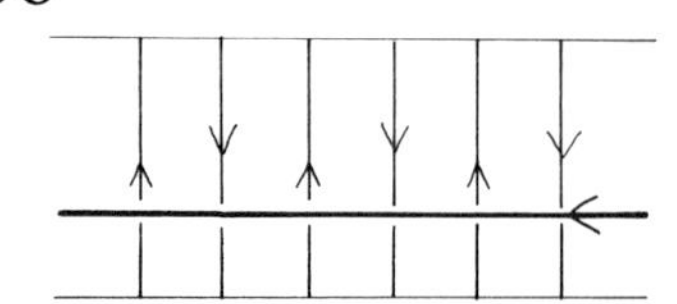

36 *start of st. 37*
36 *début du pt. 37*
36 *Anfang des St. 37*

37

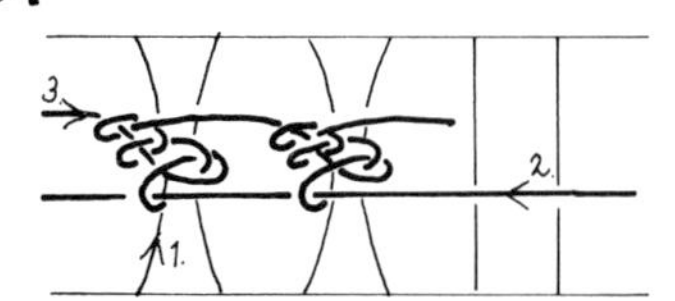

37 *continue with knot st., see page 123*
37 *continuez au pt. noué, voir la page 123*
37 *weitergehen mit Knotenst., siehe Seite 123*

38

38 *knot st. or bars*
38 *pt. noué ou brides*
38 *Knotenst. oder Stäbchen*

39

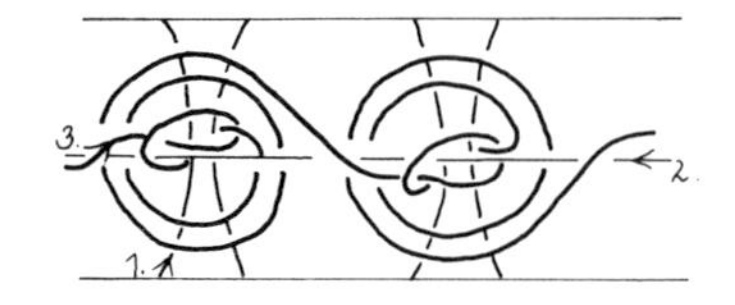

39 *as st. 34, with wheels or spiders*
39 *comme pt. 34, à roues ou araignées*
39 *wie St. 34, mit Rädern oder Spinnen*

40

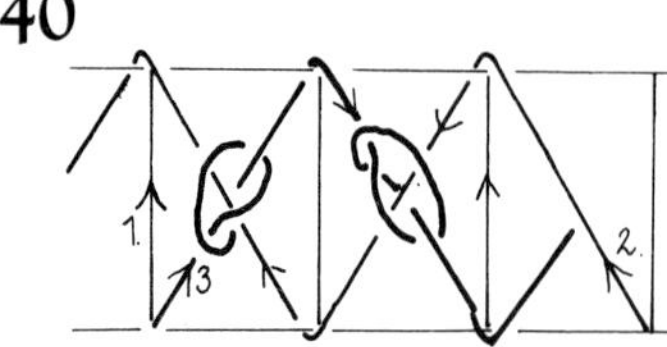

40 *a combination of st. 33 and 38*
40 *combinaison de pt. 33 et 38*
40 *Kombination von St. 33 und 38*

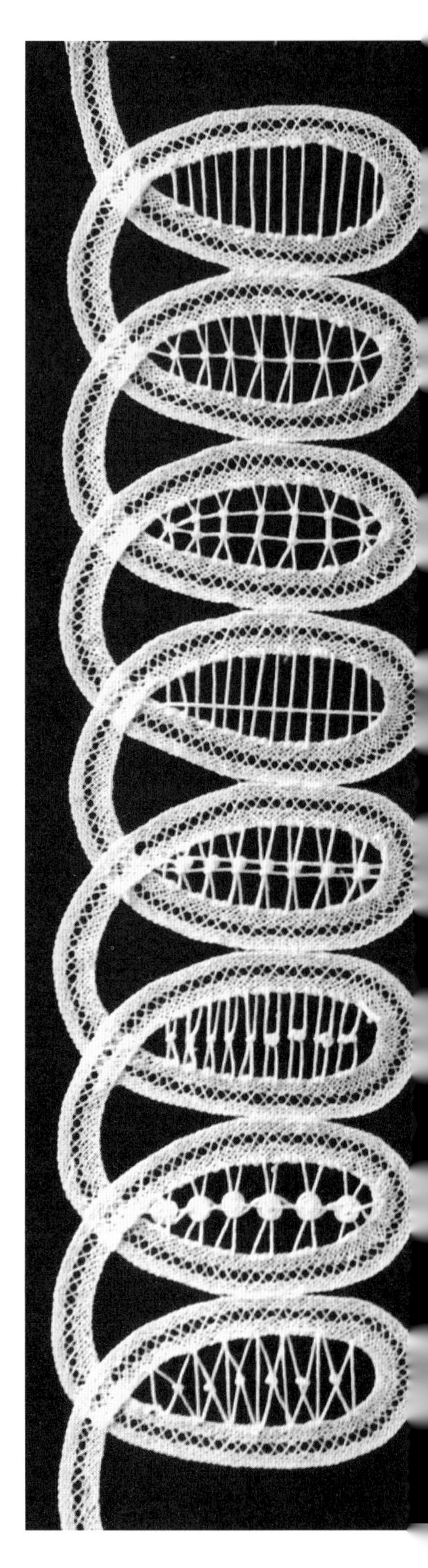

Buttonhole Stitch

Point de feston
Schlingenstich

41 *plain detached*
41 *simple détaché*
41 *einfach getrennt*

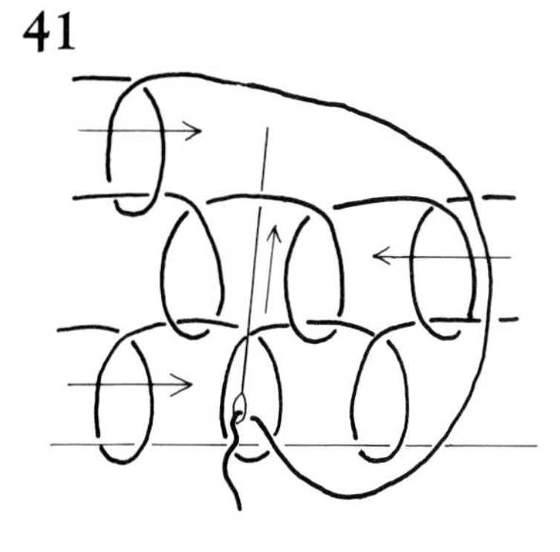

42 *as st. 41, corded on return*
42 *comme pt. 41, à fil tendu au retour*
42 *wie St. 41, rückgehend mit Spannfaden*

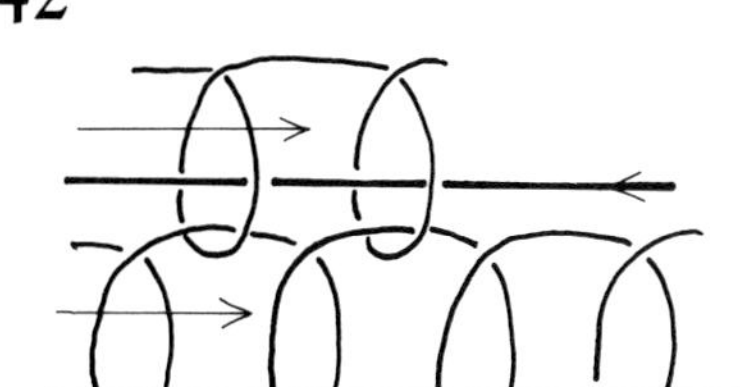

43

43 *twisted*
43 *tourné*
43 *gedreht*

44 *as st. 43, each loop whipped on return*
44 *comme pt. 43, au retour un pt. de surjet dans chaque boucle*
44 *wie St. 43, rückgehend ein Überlegstich in jeder Schlinge*

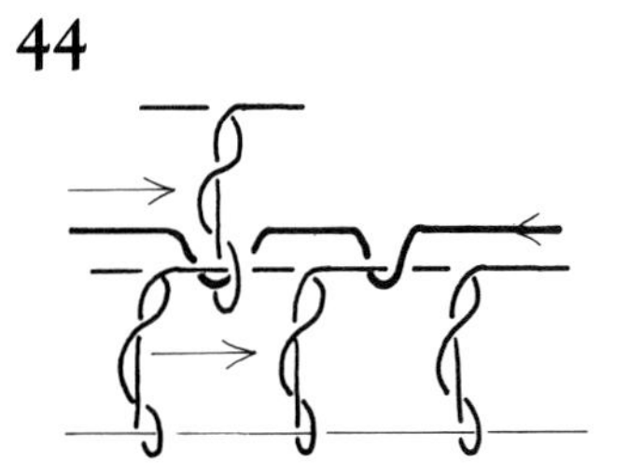

45 *combination of st. 41, 42, and 43*
45 *combinaison de pt. 41, 42, et 43*
45 *Kombination von St. 41, 42, und 43*

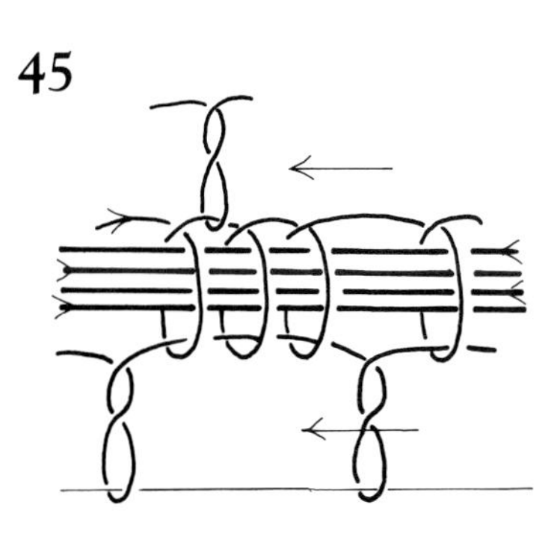

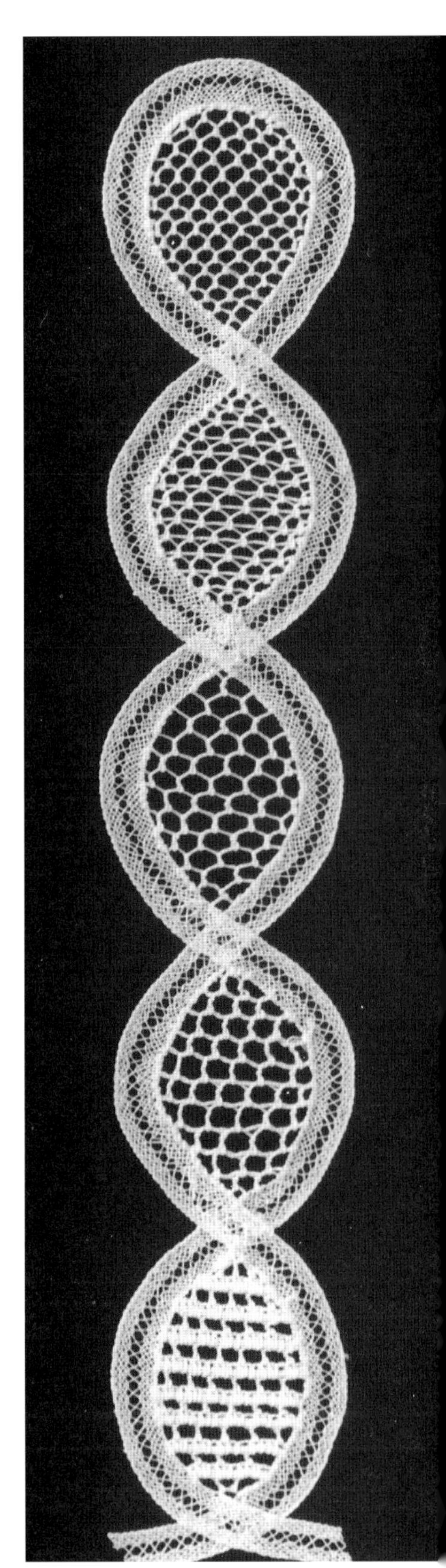

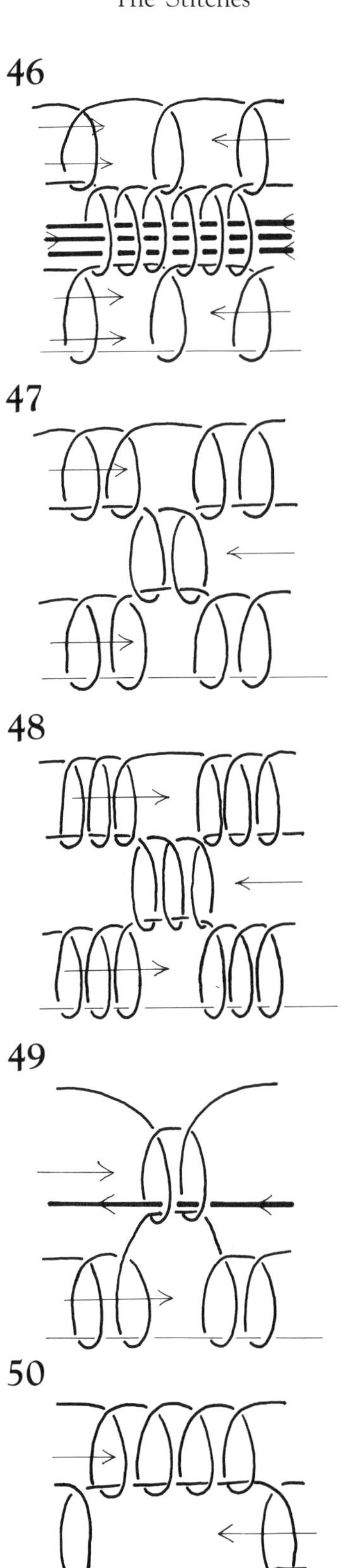

46 *combination of st. 41 and 42*
46 *combinaison de pt. 41 et 42*
46 *Kombination von St. 41 und 42*

47 *2–2 detached*
47 *2–2 détaché*
47 *2–2 getrennt*

48 *3–3 detached*
48 *3–3 détaché*
48 *3–3 getrennt*

49 *as st. 47, with deep loops, corded on return*
49 *comme pt. 47, à grandes boucles, à fil tendu au retour*
49 *wie St. 47, mit langen Schlingen, rückgehend mit Spannfaden*

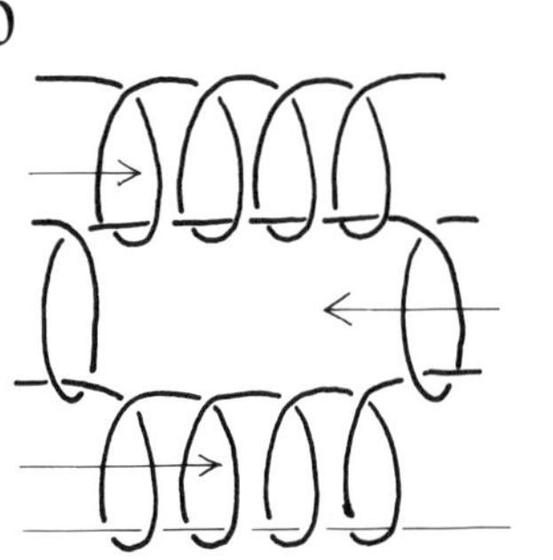

50 *keep the motif in the middle*
50 *le motif reste au milieu*
50 *das Muster bleibt in der Mitte*

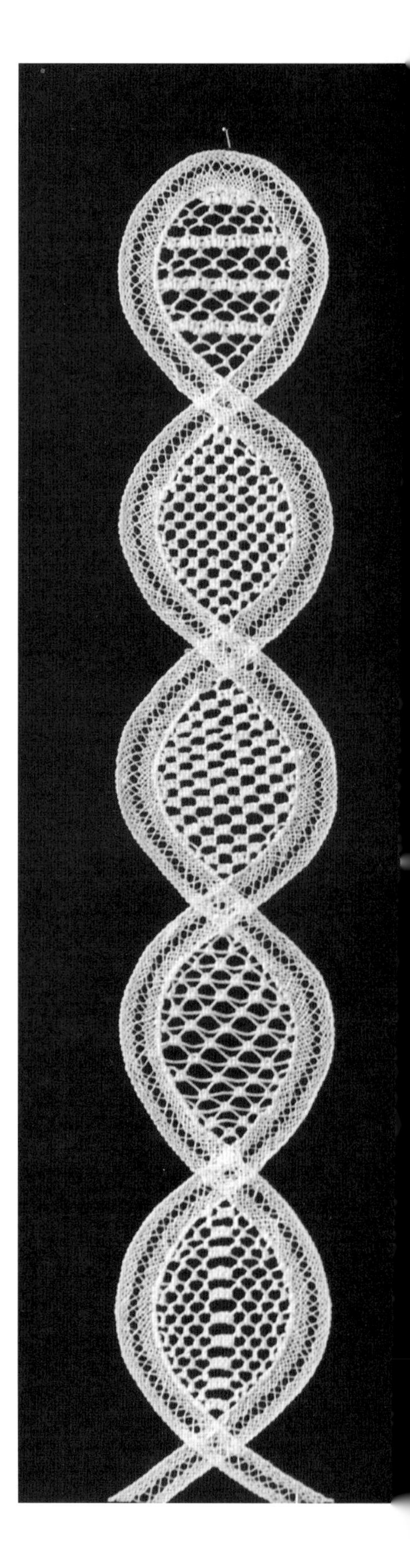

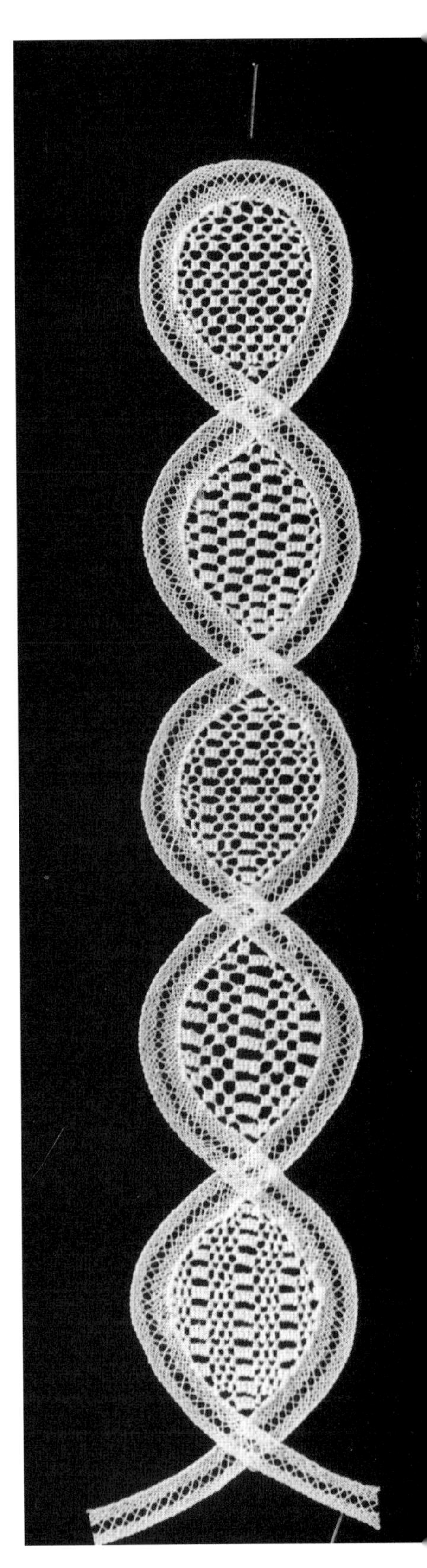

51

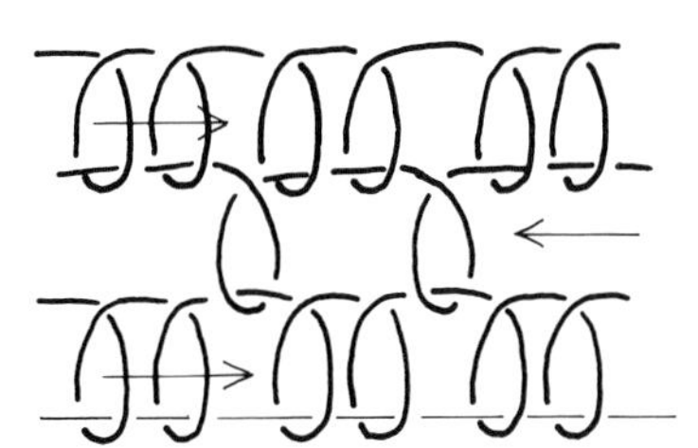

51 *pea st.*
51 *jour à pois*
51 *Erbsst.*

52

52 *4–4 detached, on return two st. in each big loop*
52 *4–4 détaché, au retour deux pt. dans chaque grande boucle*
52 *4–4 getrennt, rückgehend zwei St. in jeder grossen Schlinge*

53

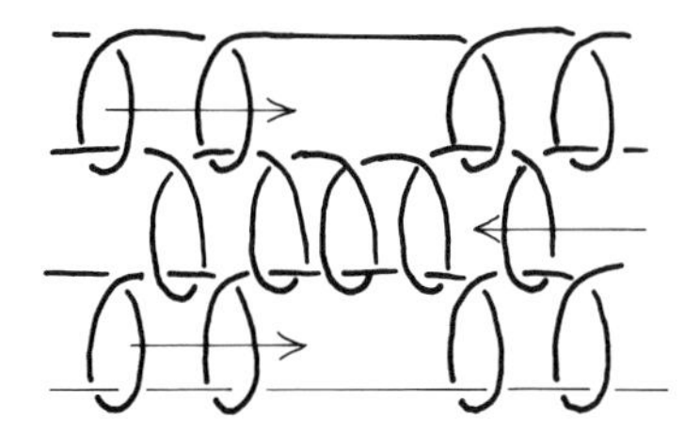

53 *3–1 detached, on return one st. in each big loop*
53 *3–1 détaché, au retour un pt. dans chaque grande boucle*
53 *3–1 getrennt, rückgehend ein St. in jeder grossen Schlinge*

54

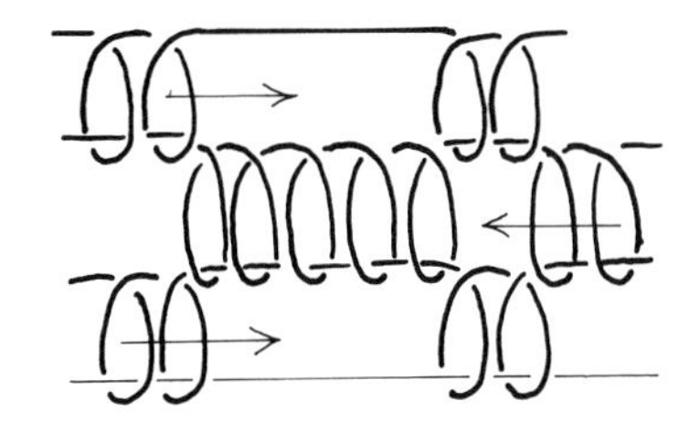

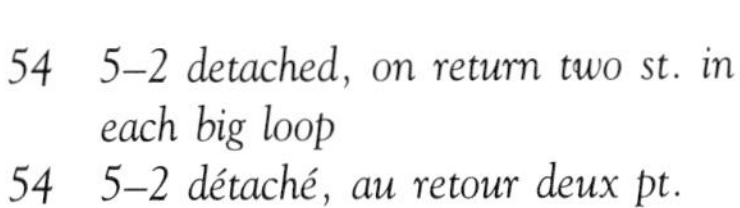

54 *5–2 detached, on return two st. in each big loop*
54 *5–2 détaché, au retour deux pt. dans chaque grande boucle*
54 *5–2 getrennt, rückgehend zwei St. in jeder grossen Schlinge*

55

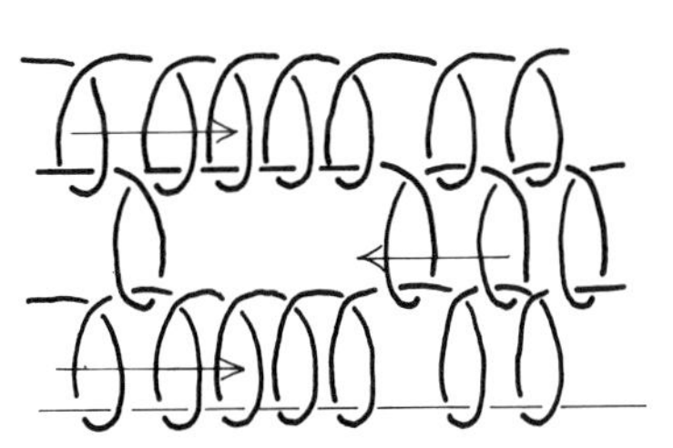

55 *4–1–1 detached, on return one st. in each big loop*
55 *4–1–1 détaché, au retour un pt. dans chaque grande boucle*

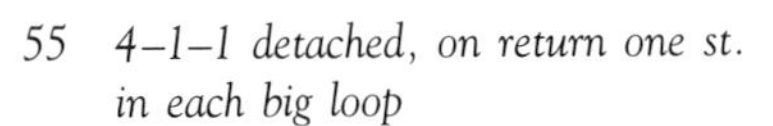

55 *4–1–1 getrennt, rückgehend ein St. in jeder grossen Schlinge*

56 *4 detached, on return one bh.s in the middle of the four st.*
56 *4 détaché, au retour un pt.f. au milieu des quatre pt.*
56 *4 getrennt, rückgehend 1 St. in der Mitte der vier St.*

56

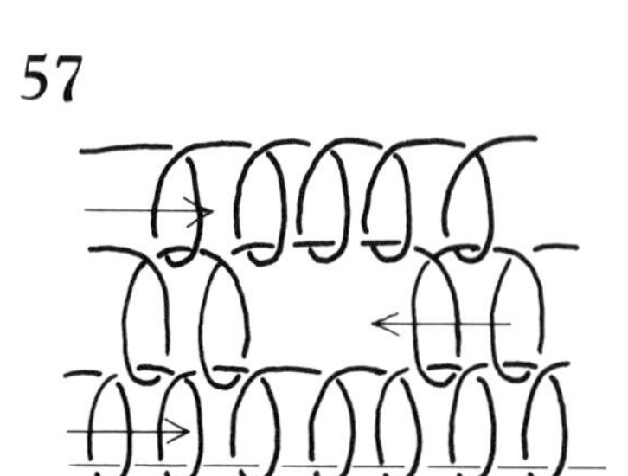

57 *variation on st. 51 (pea st.)*
57 *variation sur pt. 51 (jour à pois)*
57 *Variation auf St. 51 (Erbsst.)*

57

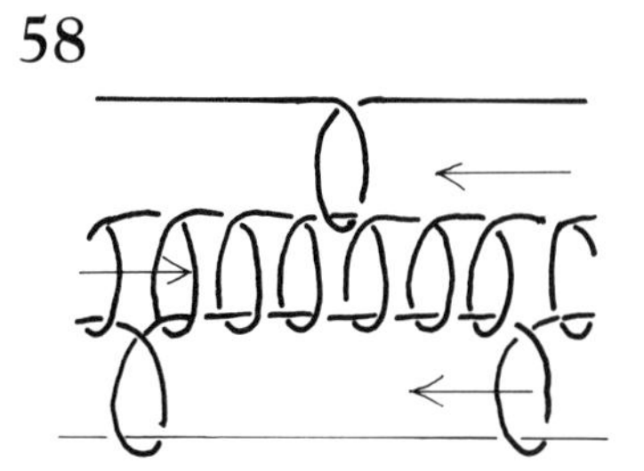

58 *as st. 56, with six st.*
58 *comme pt. 56, avec six pt.*
58 *wie St. 56, mit sechs St.*

58

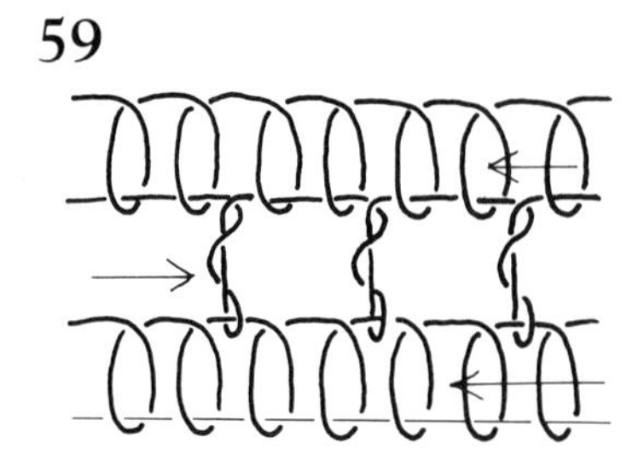

59 *combination of st. 41 and 43*
59 *combinaison de pt. 41 et 43*
59 *Kombination von St. 41 und 43*

59

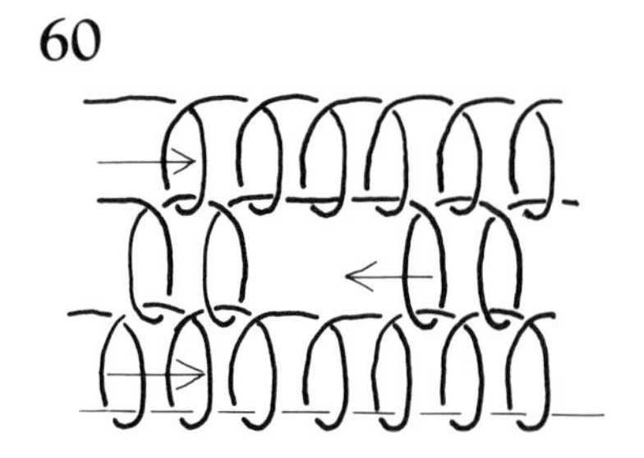

60 *how to make an opening*
60 *comment faire une ouverture*
60 *eine Öffnung machen*

60

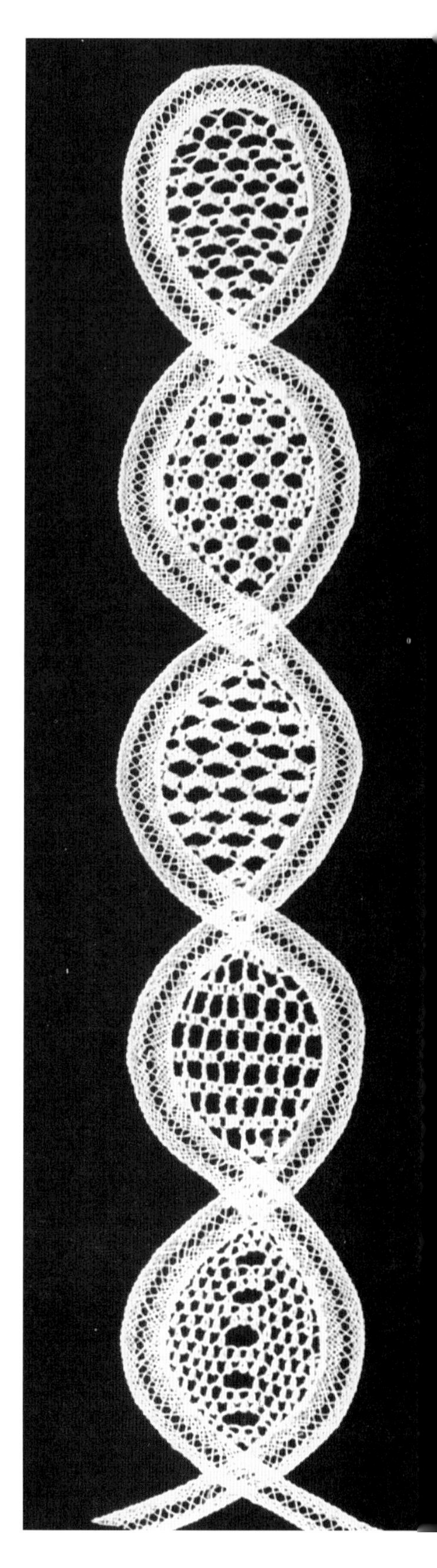

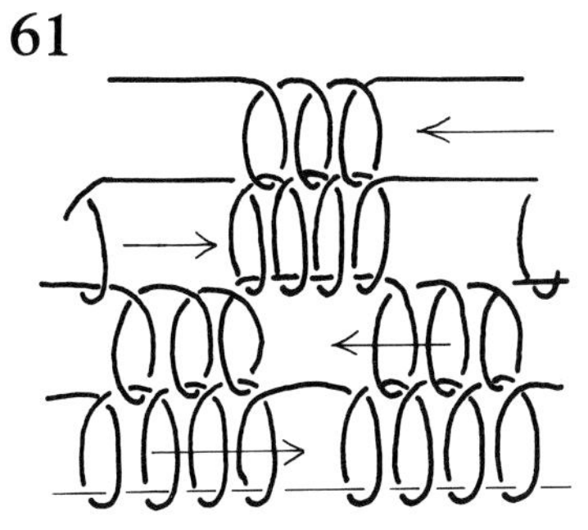

61 *4 detached, on return three st. in the loops of the four st.*
61 *4 détaché, au retour trois pt. dans les boucles des quatre pt.*
61 *4 getrennt, rückgehend drei St. in den Schlingen der vier St.*

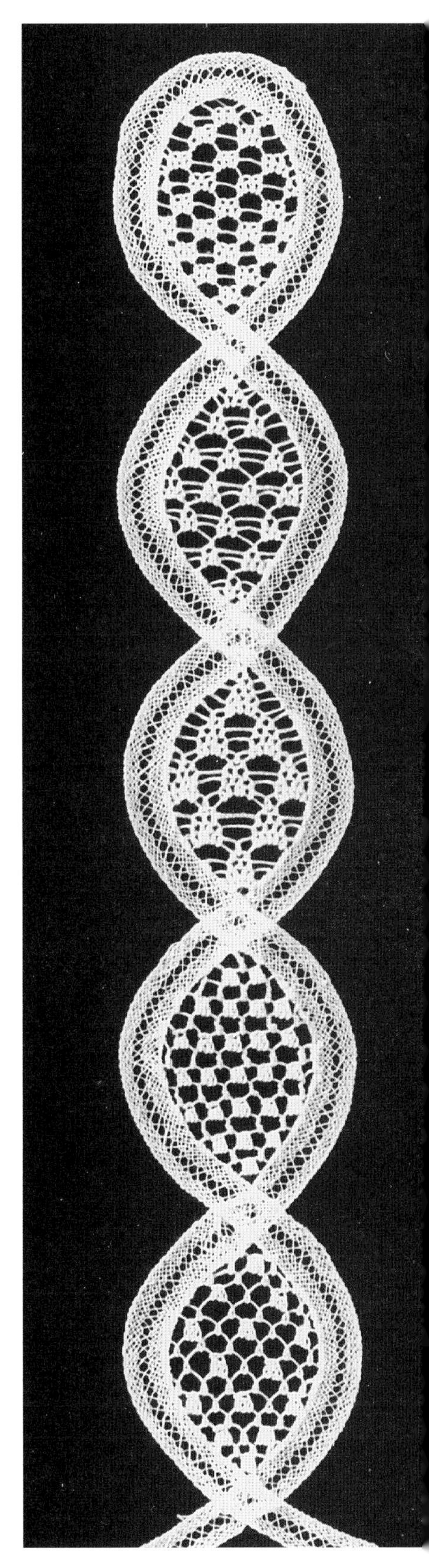

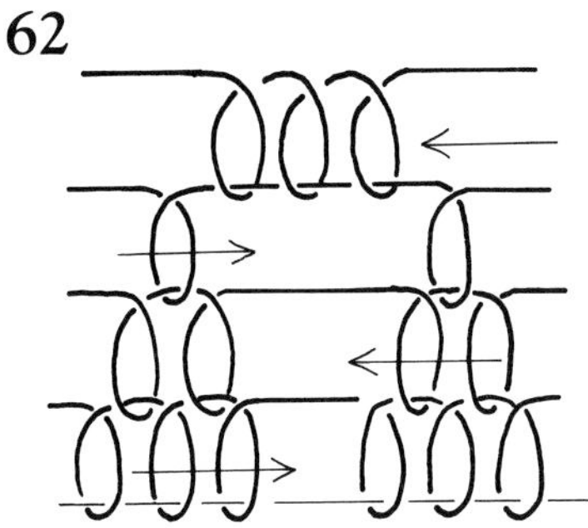

62 *3–2–1 pyramid*
62 *3–2–1 pyramide*
62 *3–2–1 Pyramide*

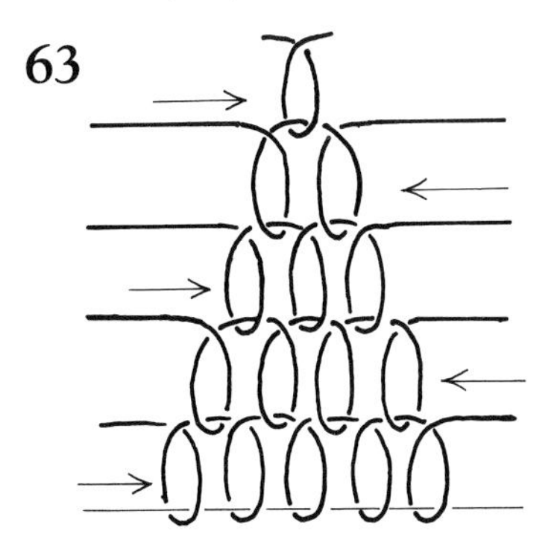

63 *5–4–3–2–1 pyramid*
63 *5–4–3–2–1 pyramide*
63 *5–4–3–2–1 Pyramide*

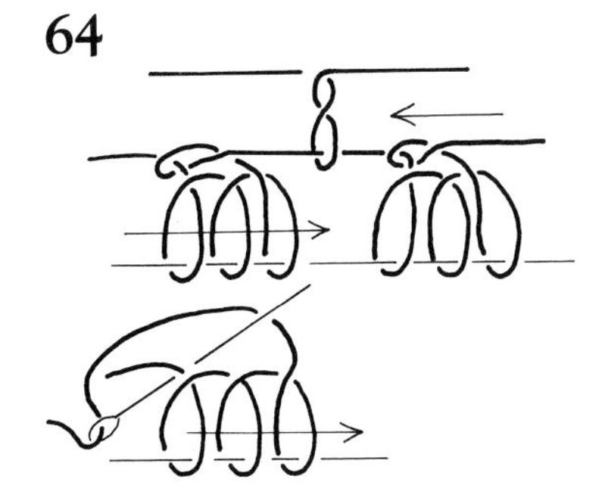

64 *as st. 68, with only one bh.s, on return st. 43*
64 *pt. 68, avec un seul pt.f, au retour pt. 43*
64 *st. 68, mit nur einem Sch.s, rückgehend St. 43*

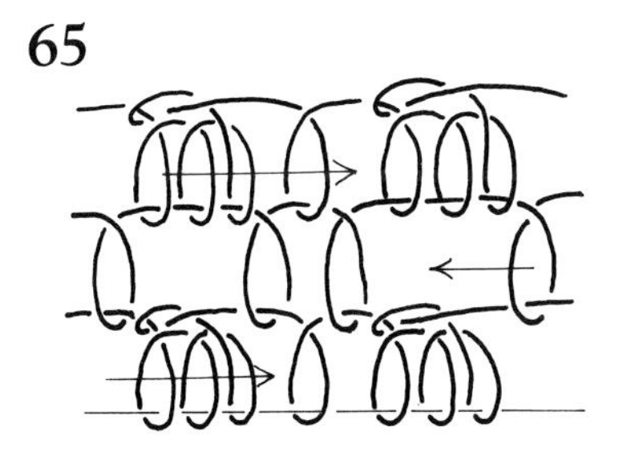

65 *variation on st. 64*
65 *variation sur pt. 64*
65 *Variation auf St. 64*

Venetian stitch

Point de Venise
Venezianer Stich

66

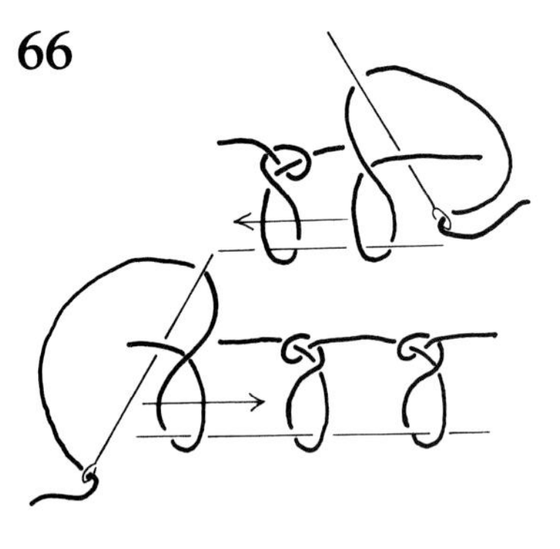

66 *plain*
66 *simple*
66 *einfach*

67

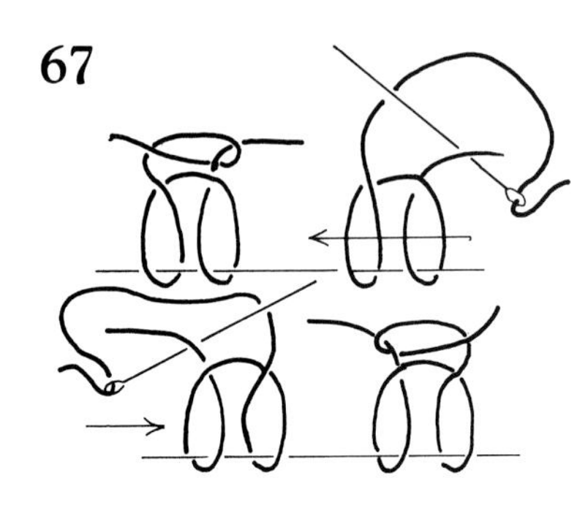

67 *double*
67 *double*
67 *doppelt*

68

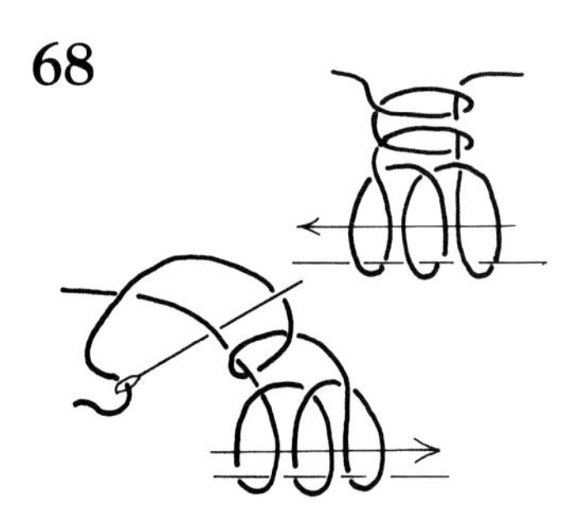

68 *triple*
68 *triple*
68 *dreifach*

69

69 *shell stich*
69 *point de grains*
69 *Muschelstich*

70

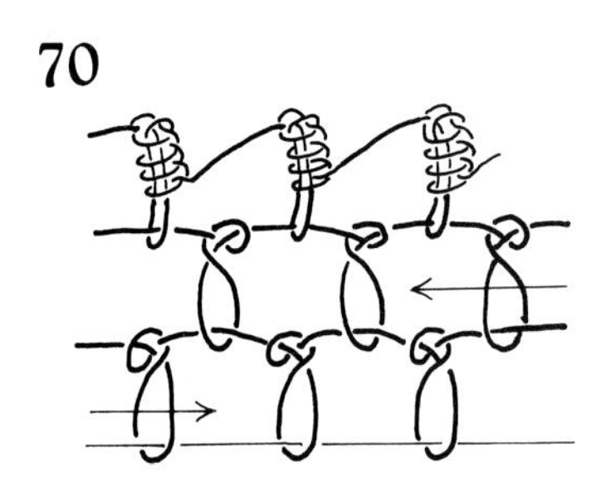

70 *combination of st. 66 and 69*
70 *combinaison de pt. 66 et 69*
70 *Kombination von St. 66 und 69*

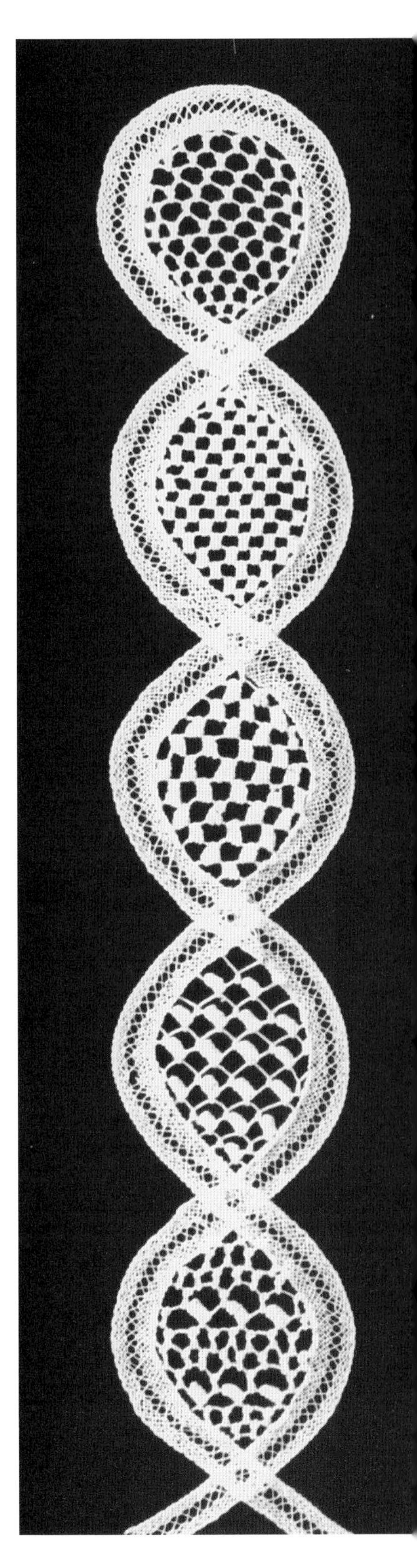

Circular Fillings

Remplissages circulaires
Kreisförmig Ausgefüllte Flächen

71

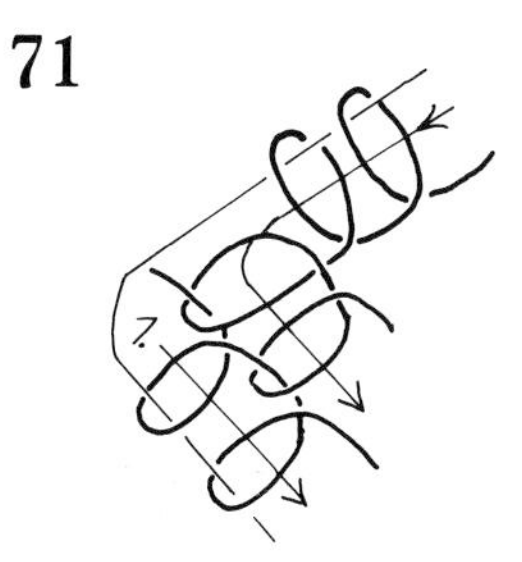

71 *with st. 41*
71 *avec pt. 41*
71 *mit St. 41*

72

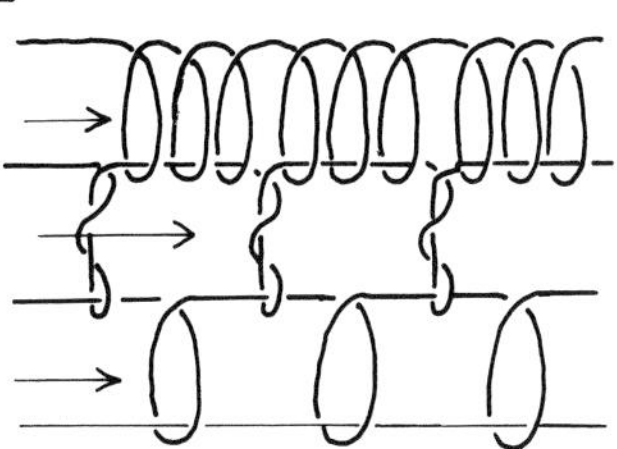

72 *st. 41 and st. 43 worked alternately*
72 *pt. 41 et pt. 43 exécutés alternativement*
72 *St. 41 und St. 43 wechselweise ausgeführt*

73

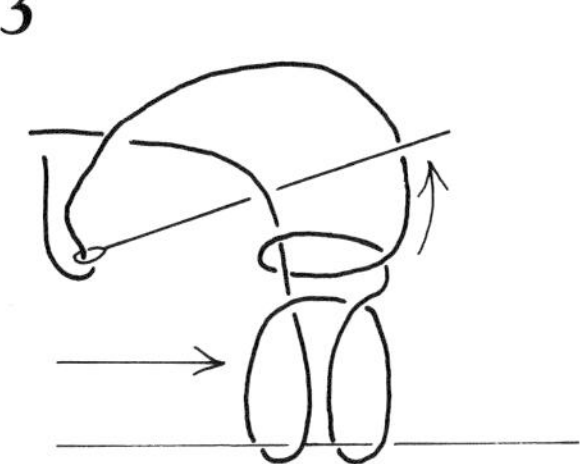

73 *work as for st. 67 with extra bh.s*
73 *à exécuter comme pt. 67 avec un pt.f supplémentaire*
73 *wie St. 67 mit einem zusätzlichen Sch.s ausführen*

74

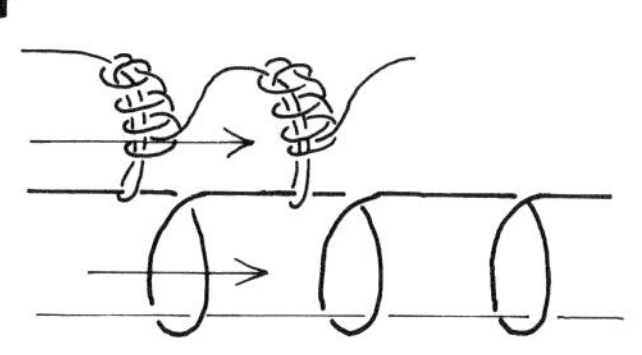

74 *combination of St. 69 and 1*
74 *combinaison de pt. 69 et 1*
74 *Kombination von St. 69 und 1*

75

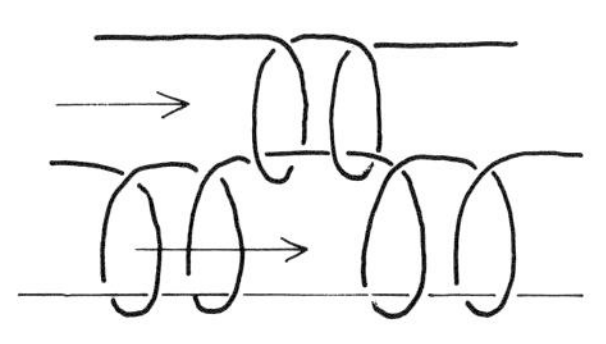

75 *combination of st. 47 and 96*
75 *combinaison de pt. 47 et 96*
75 *Kombination von St. 47 und 96*

76

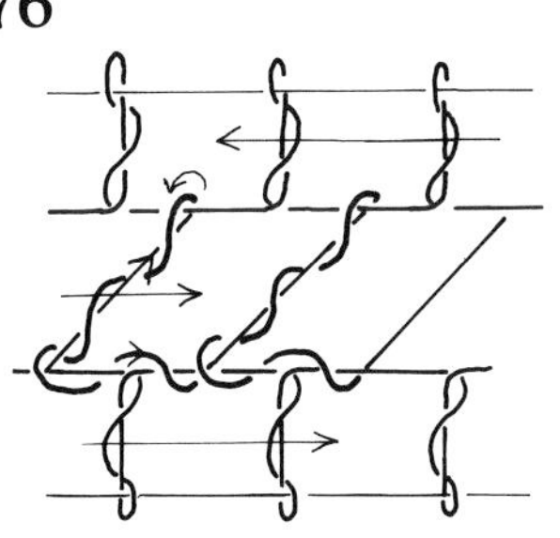

76 *combination of st. 43 and 112*
76 *combinaison de pt. 43 et 112*
76 *Kombination von St. 43 und 112*

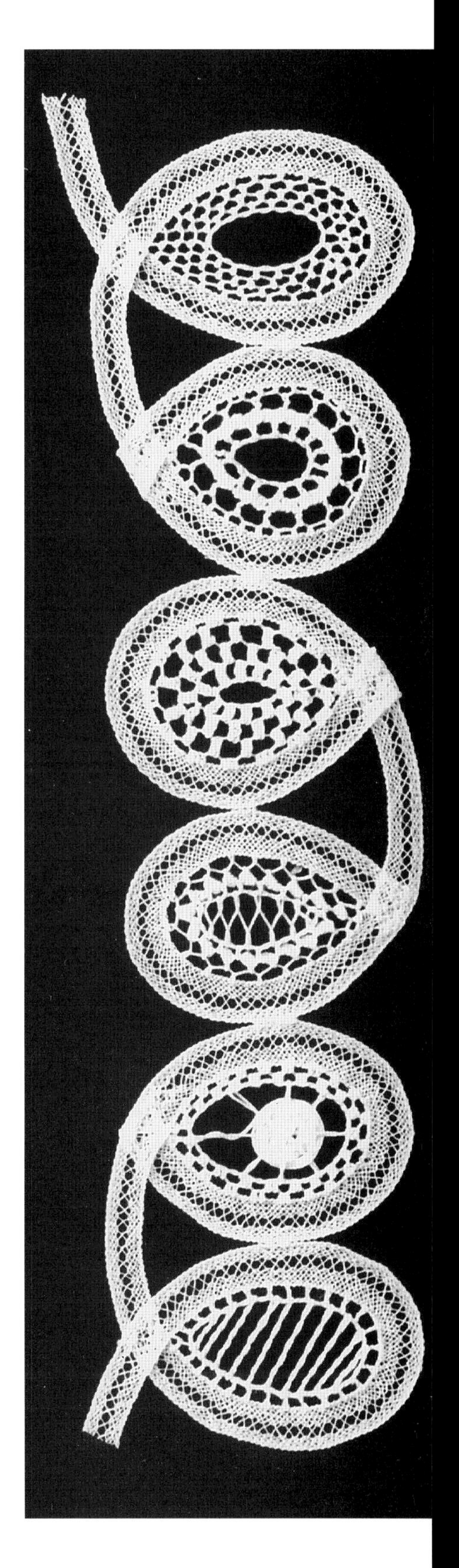

Grounds

Fonds
Gründe

77 *Ragleigh bars*
77 *brides ramifiées*
77 *verzweigte Stäbchen*

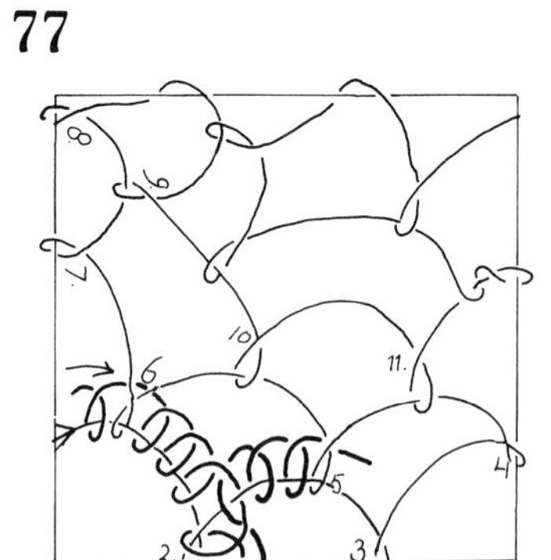

78 *square bars with picot (see st. 138)*
78 *brides en quadrillé avec picot (voir pt. 138)*
78 *viereckige Stäbchen mit Picot (siehe St. 138)*

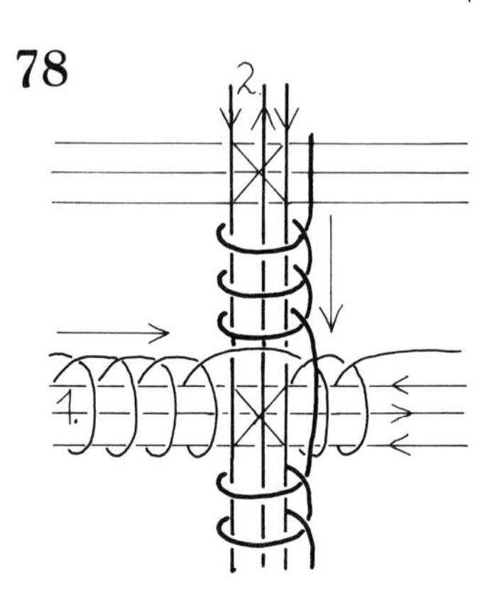

79 *hexagonal bars*
79 *brides en hexagone*
79 *sechseckige Stäbchen*

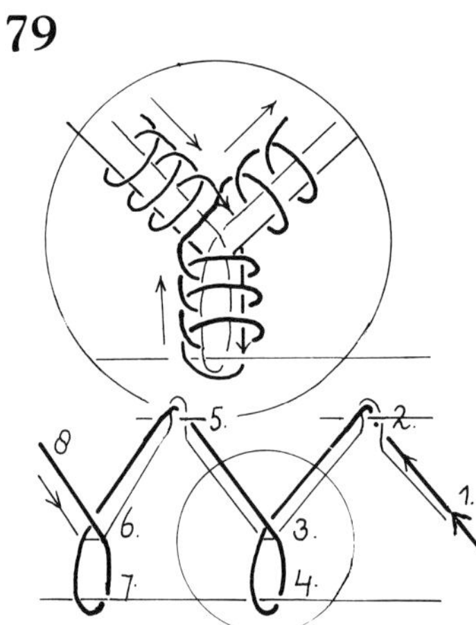

80 *knotted filet*
80 *filet noué*
80 *geknüpftes Netz*

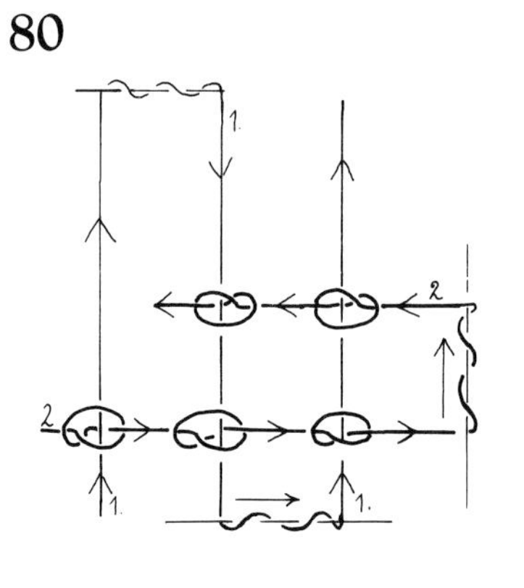

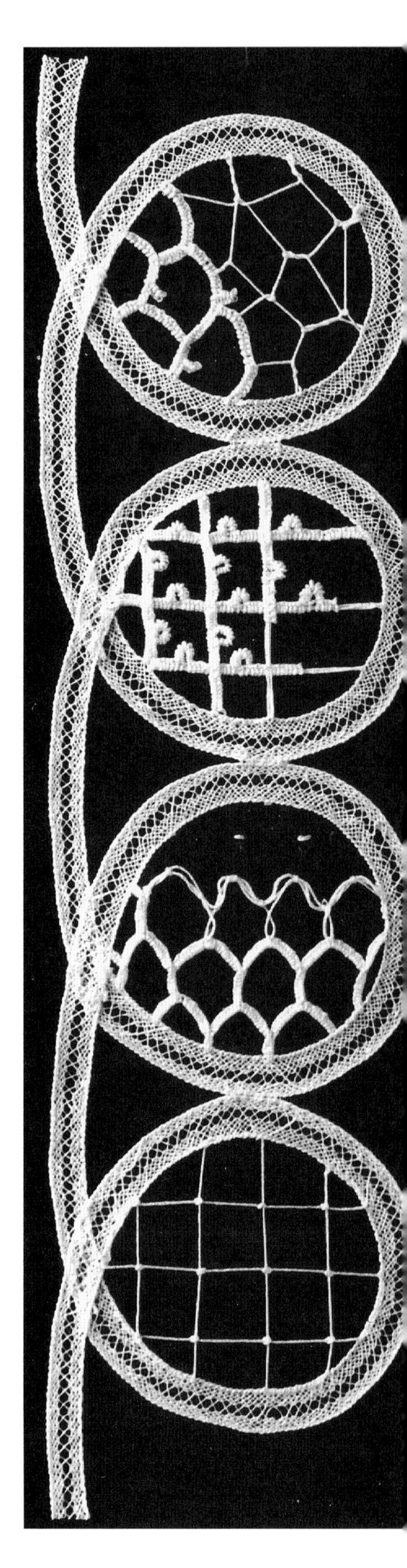

81

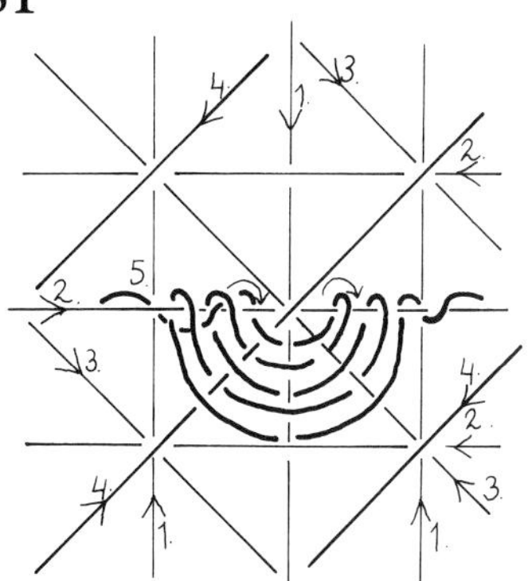

81 corded with half-wheels
81 fils tendus à demi-roues
81 gespannte Fäden mit halben Rädern

82

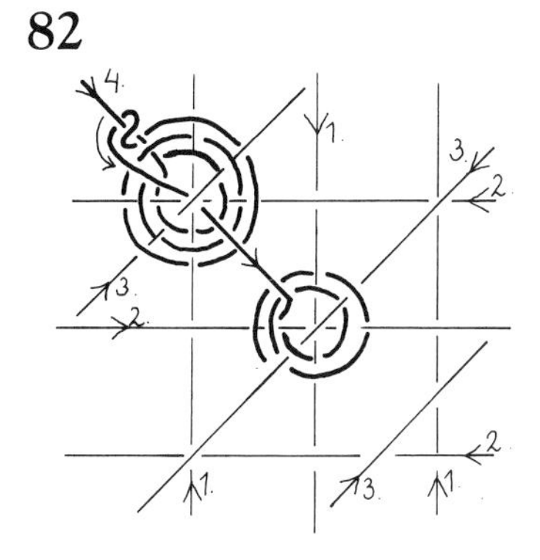

82 as st. 81, with full wheels
82 comme pt. 81, à roues entières
82 wie St. 81, mit vollen Rädern

83

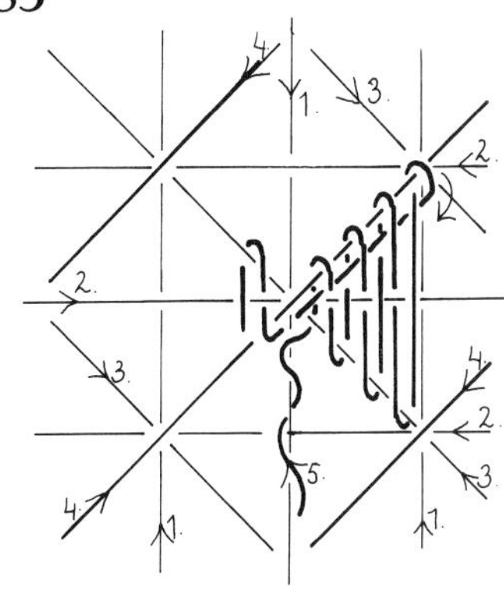

83 as st. 81 with butterflies
83 comme pt. 81 à papillons
83 wie St. 81 mit Schmetterlingen

84

84 worked with corded and whipped threads
84 exécuté aux fils tendus et surjetés
84 mit umwickelten und gespannten Fäden ausgeführt

85

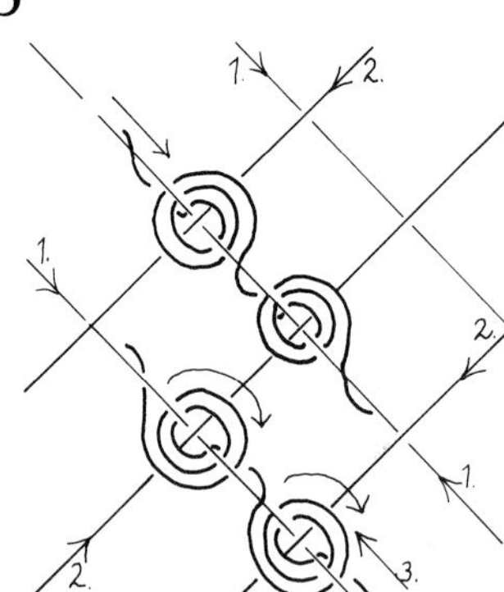

85 *rows of wheels on corded threads*
85 *rangées de roues sur fils tendus*
85 *Räderreihen auf gespannten Fäden*

86

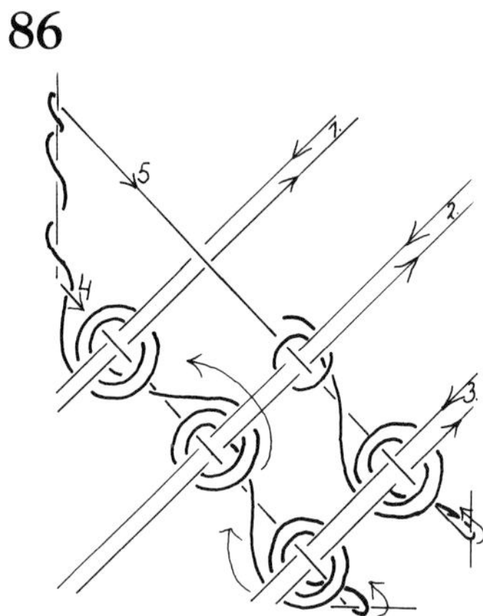

86 *as st. 85 on two corded threads*
86 *comme pt. 85 sur deux fils tendus*
86 *wie St. 85 auf zwei gespannten Fäden*

87

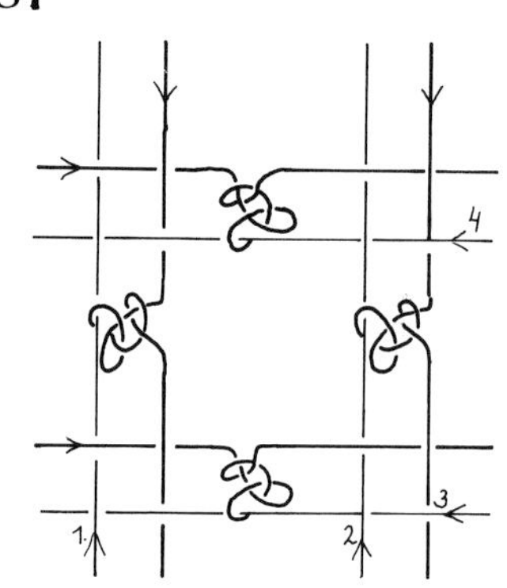

87 *st. 38 worked in squares*
87 *pt. 38 exécuté en quadrillé*
87 *St. 38 viereckig ausgeführt*

88

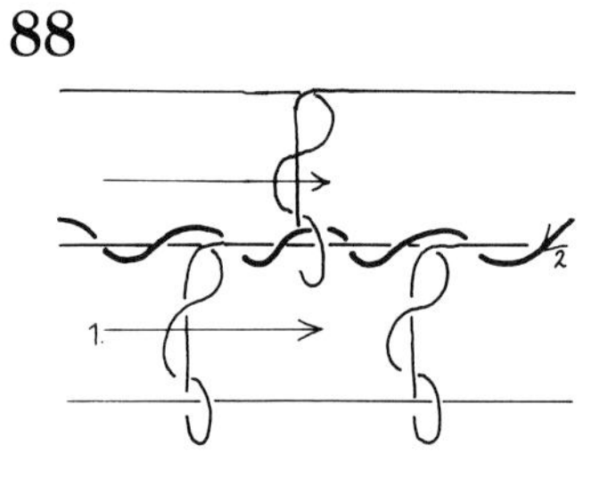

88 *hand-made tulle (see also st. 44)*
88 *tulle fait main (voir également pt. 44)*
88 *handgemachter Tüll (siehe auch St. 44)*

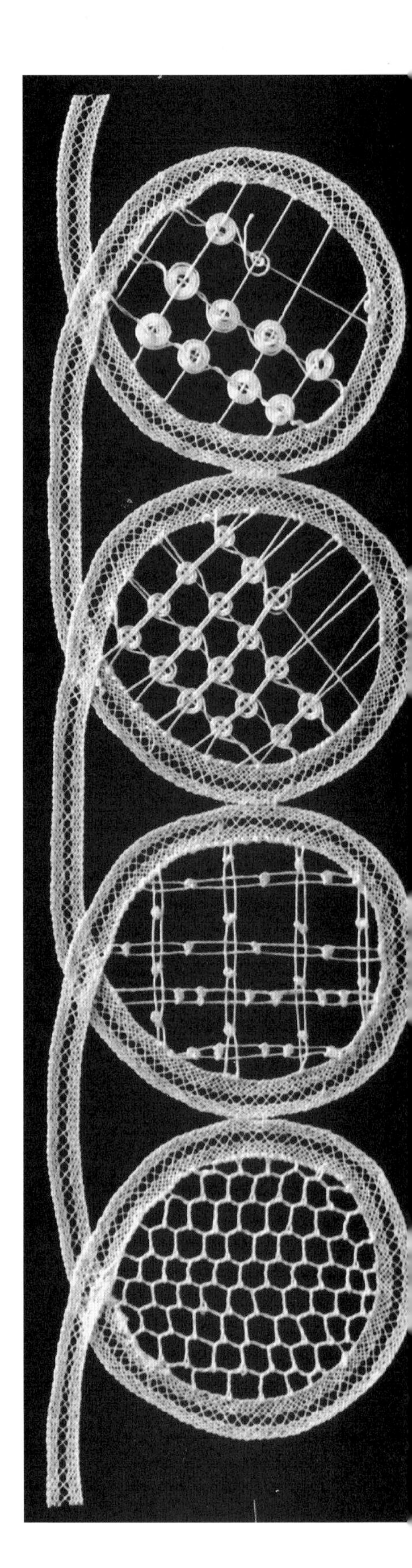

Wheels or Spiders 1
(over uneven single threads)

Roues ou araignées 1
(sur fils impairs simples)

Ringe, Räder oder Spinnen 1
(über unpaare Einzelfäden)

89

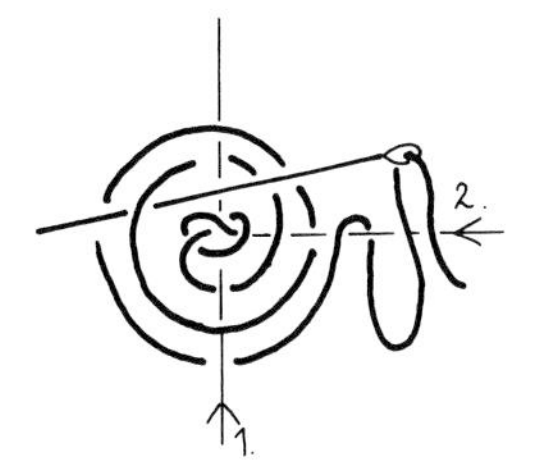

89 *over three threads*
89 *par-dessus trois fils*
89 *über drei Fäden*

90

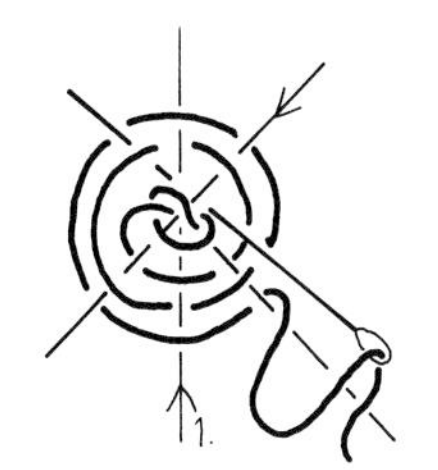

90 *over five threads*
90 *par-dessus cinq fils*
90 *über fünf Fäden*

91

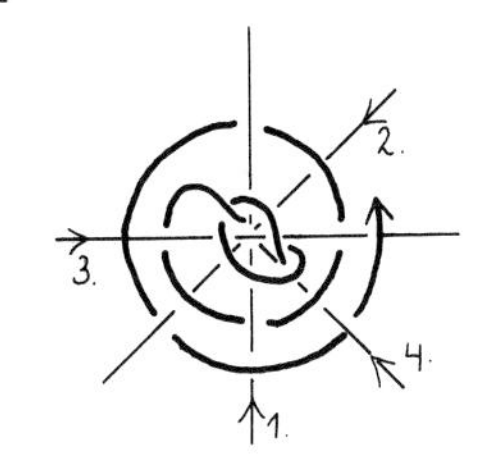

91 *over seven threads*
91 *par-dessus sept fils*
91 *über sieben Fäden*

92

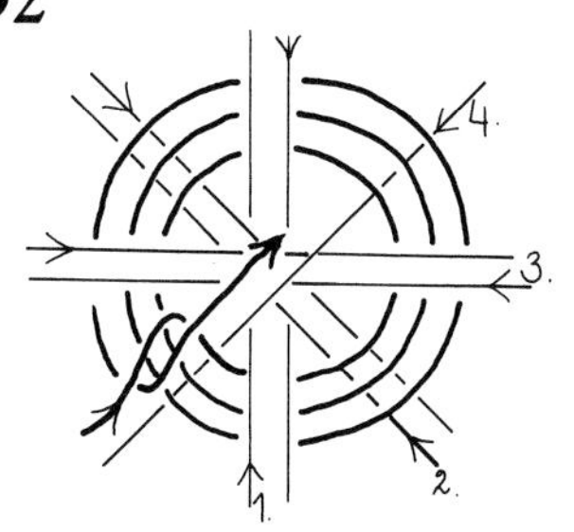

92 *over seven pairs and one single thread*
92 *par-dessus sept paires et un fil solitaire*
92 *über 7 Paare und einen Einzelfaden*

93

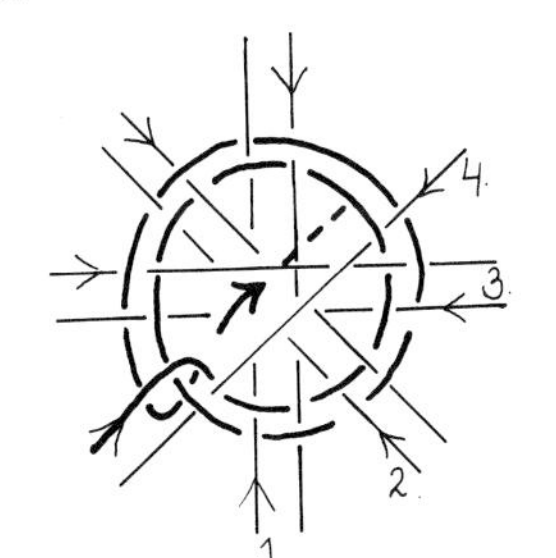

93 *over fifteen threads*
93 *par-dessus quinze fils*
93 *über fünfzehn Fäden*

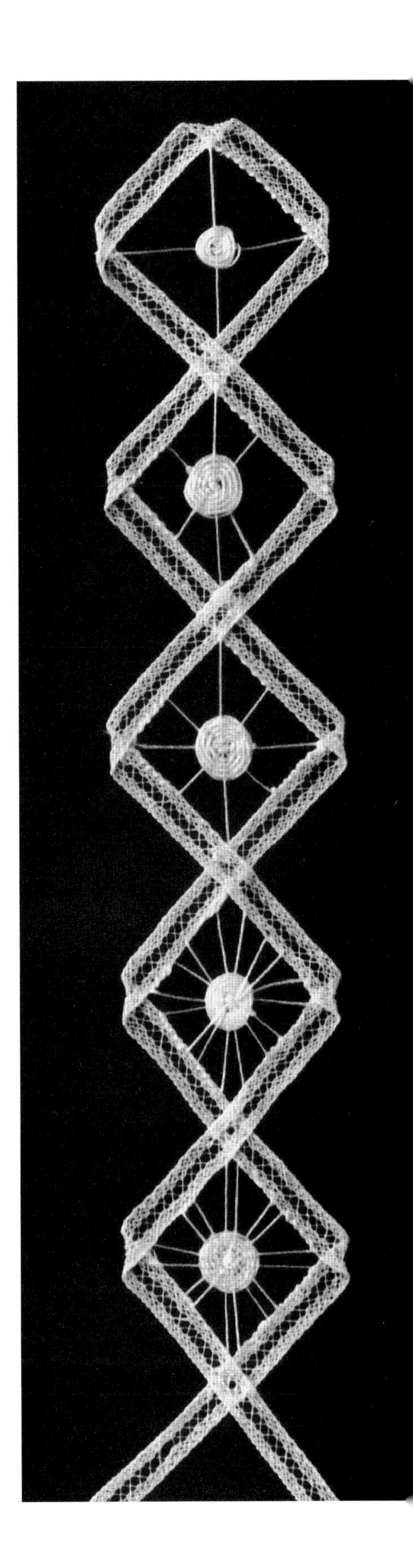

Wheels or Spiders 2
(over even whipped threads)

Roues ou araignées 2
(sur fils pairs surjetés)

Ringe, Räder oder Spinnen 2
(über paare umwickelte Fäden)

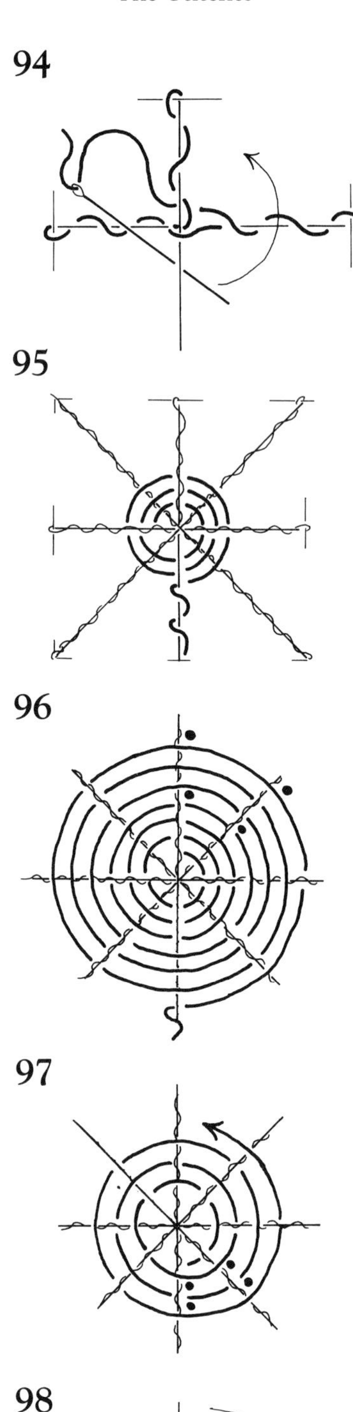

94 *over one single and three whipped threads*
94 *par-dessus un fil simple et trois fils surjetés*
94 *über einen Einzel- und drei umwickelte Fäden*

95 *as st. 94, over one single and seven whipped threads*
95 *comme pt. 94, par-dessus un fil simple et sept fils surjetés*
95 *wie St. 94, über einen Einzel- und sieben umwickelte Fäden*

96 *as st. 95, but alternate weaving after three turns*
96 *comme pt. 95, mais changer l'alternance après trois tours*
96 *wie St. 95, aber das Weben nach drei Gängen wechseln*

97 *as st. 95, but alternate weaving at each turn*
97 *comme pt. 95, mais changer l'alternance à chaque tour*
97 *wie 95, das Weben bei jedem Gange wechseln*

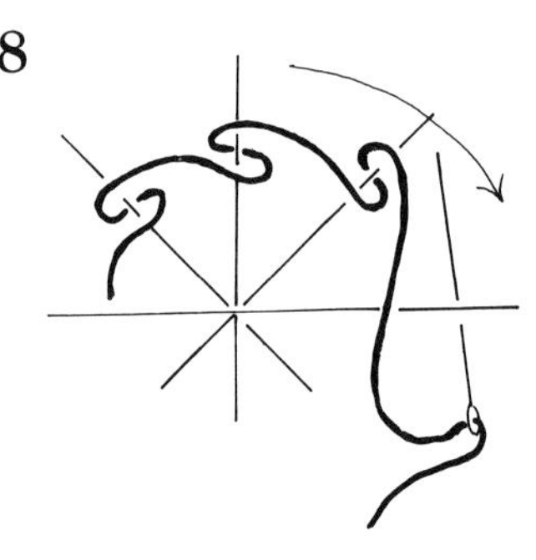

98 *illustration shows right side; backstich over each thread*
98 *illustré à l'endroit; arrière point sur chaque fil*
98 *Illustration zeigt Vorderseite; Hinterstich über jeden Faden*

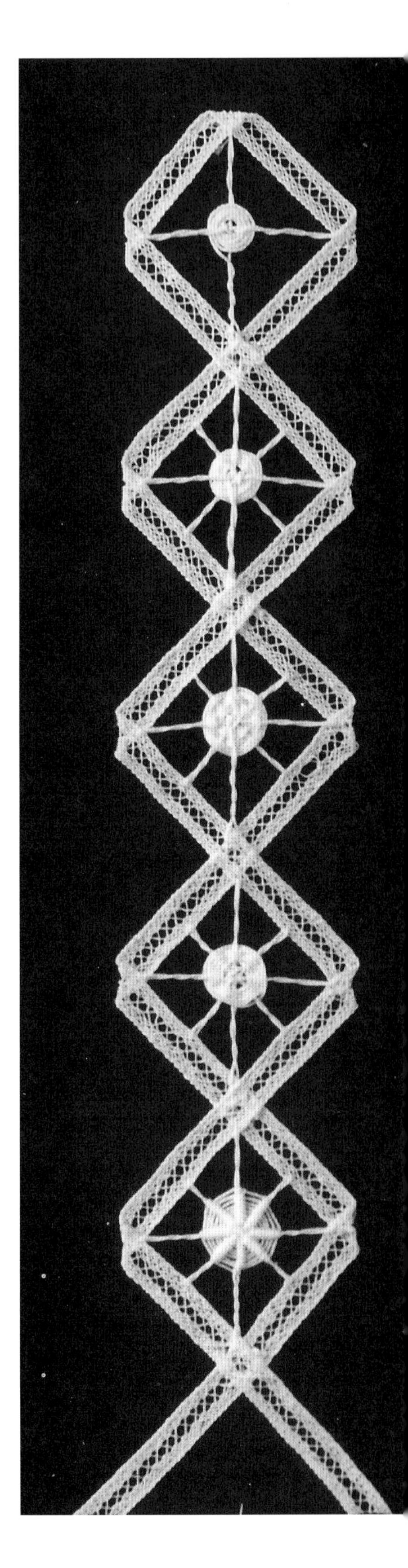

99

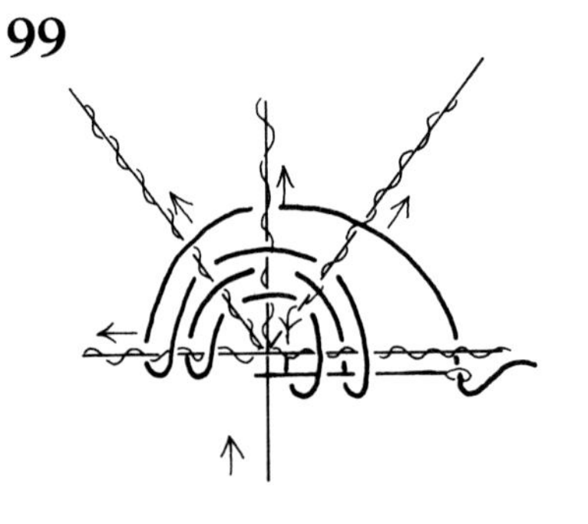

99 *half, over five whipped threads*
99 *demi, par-dessus cinq fils surjetés*
99 *halbe, über fünf umwickelte Fäden*

100

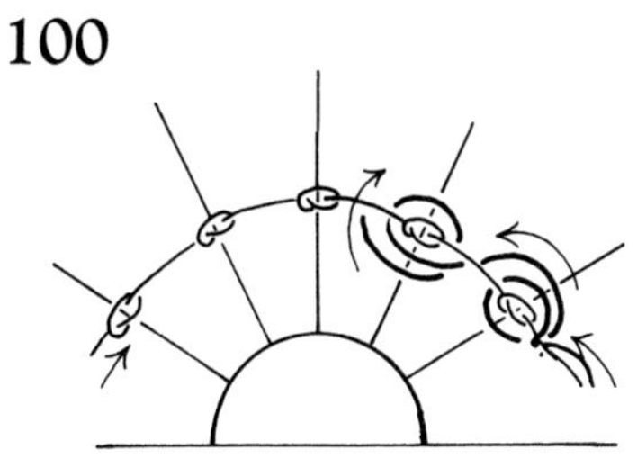

100 *as st. 99, with 'prey'*
100 *comme pt. 99, avec 'proie'*
100 *wie St. 99, mit 'Beute'*

101

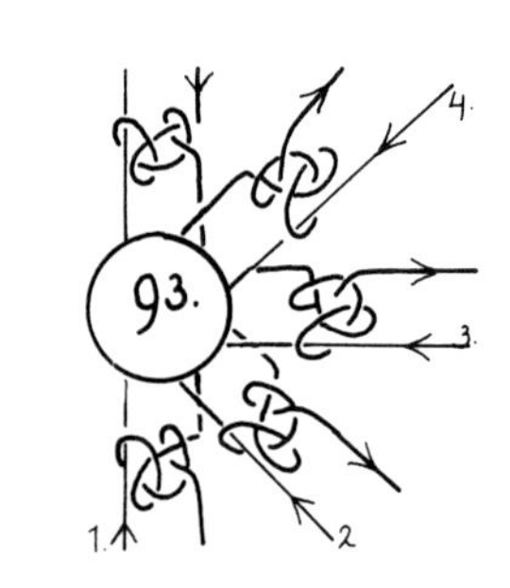

101 *as st. 93, with knotted bars (st. 38)*
101 *comme pt. 93, à fils noués (pt. 38)*
101 *wie St. 93, mit geknüpften Fäden (St. 38)*

102

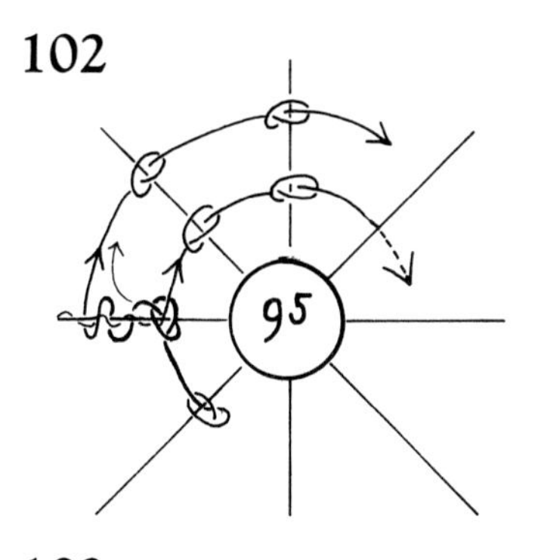

102 *as st. 95, with knotted web*
102 *comme pt. 95, à toile nouée*
102 *wie St. 95, mit geknüpftem Gewebe*

103

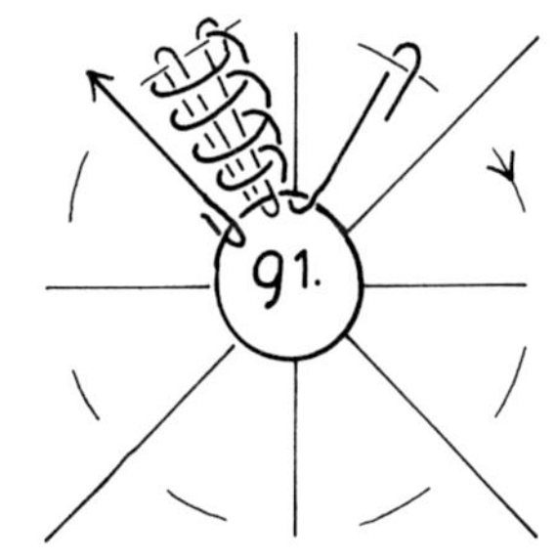

103 *as st. 91, with picot from st. 136*
103 *comme pt. 91, à picot de pt. 136*
103 *wie St. 91, mit Picot von St. 136*

Point de Reprise

104

104 weave over 7–5–3 threads
104 tisser par-dessus 7–5–3 fils
104 über 7–5–3 Fäden weben

105

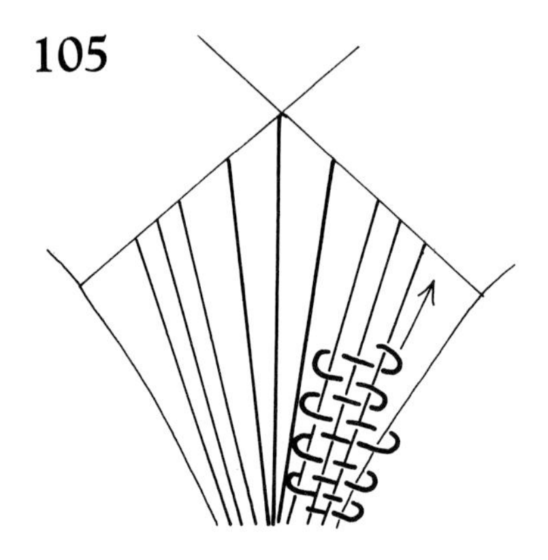

105 weave over three threads
105 tisser par-dessus trois fils
105 über drei Fäden weben

106

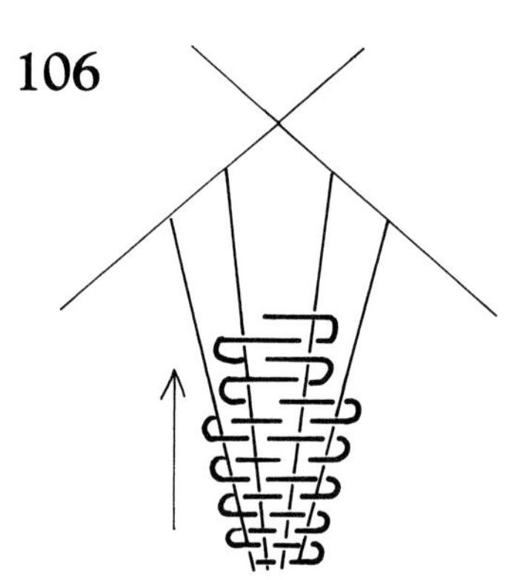

106 weave over 4–2 threads
106 tisser par-dessus 4–2 fils
106 über 4–2 Fäden weben

107

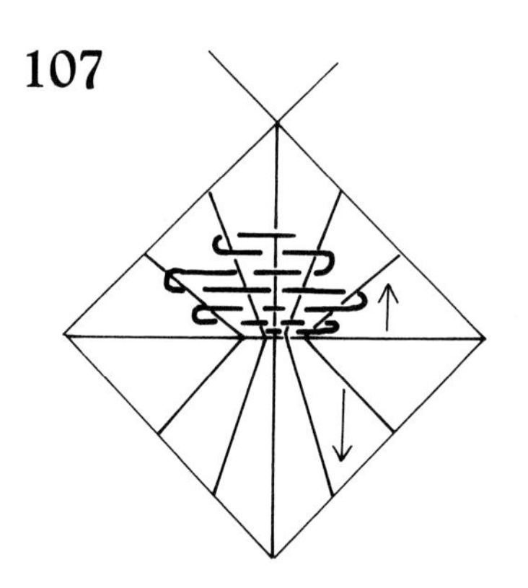

107 weave over 5–3 threads
107 tisser par-dessus 5–3 fils
107 über 5–3 Fäden weben

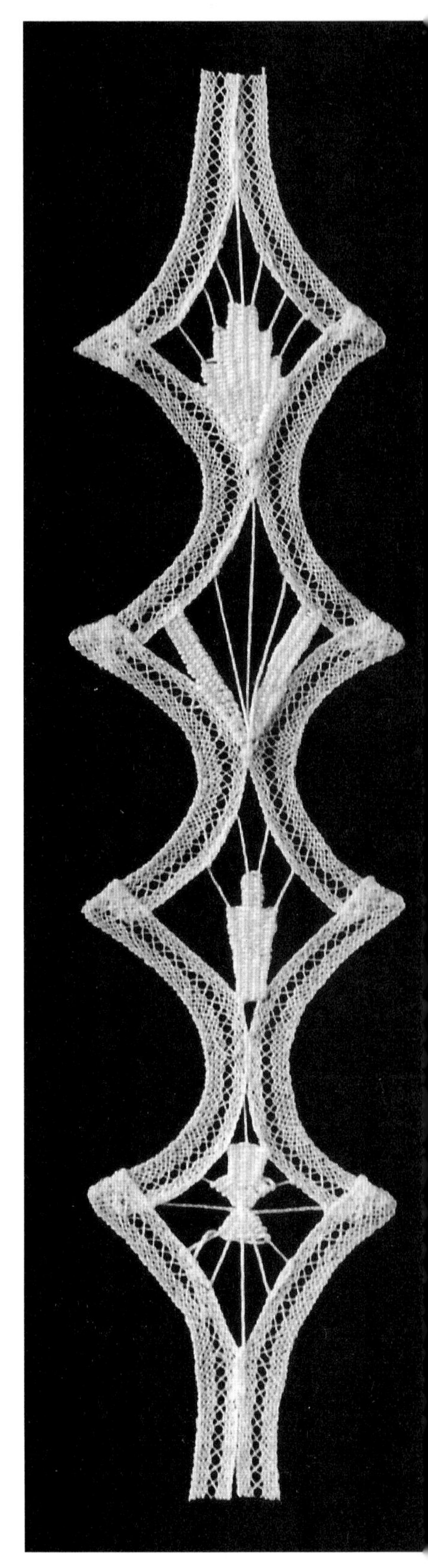

Leaf-fillings

Remplissages à feuilles
Blattformen

108

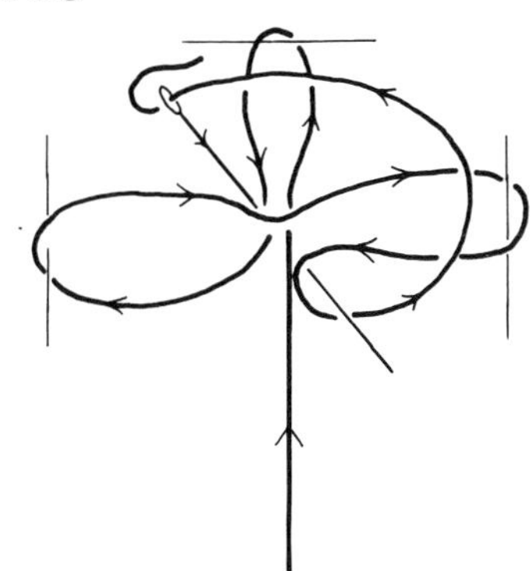

108 *knotted*
108 *noué*
108 *geknüpft*

109

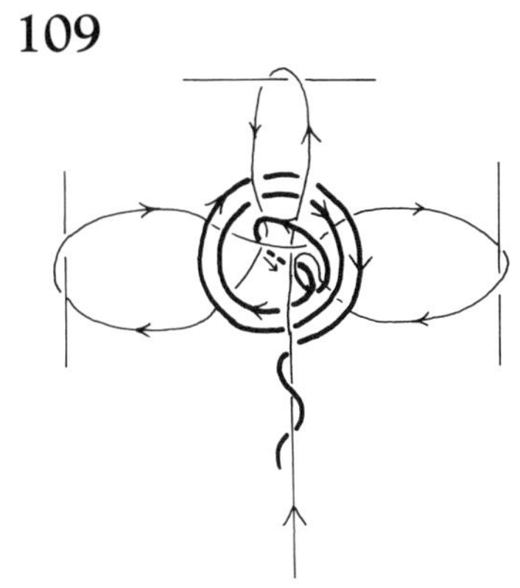

109 *with wheels*
109 *à roues*
109 *mit Ringen*

110

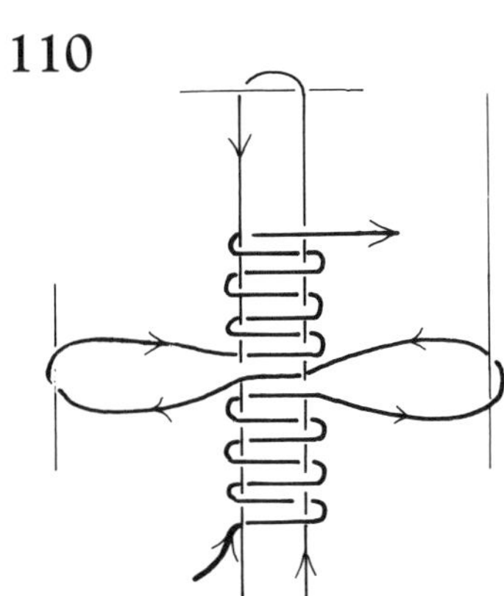

110 *with woven veins*
110 *à nervures tissées*
110 *mit gewebten Nerven*

111

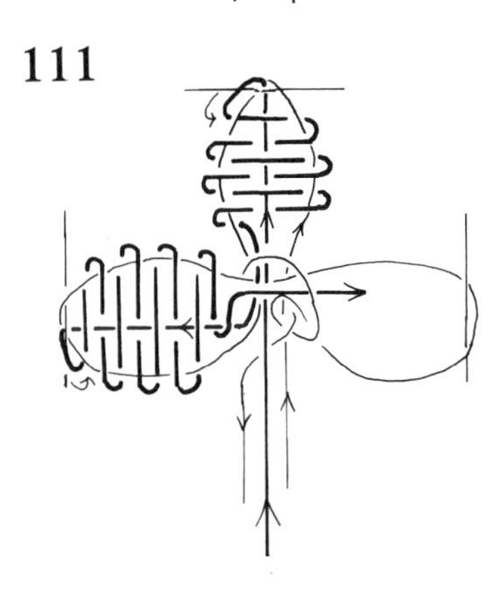

111 *with woven leaves*
111 *à feuilles tissées*
111 *mit gewebten Blättern*

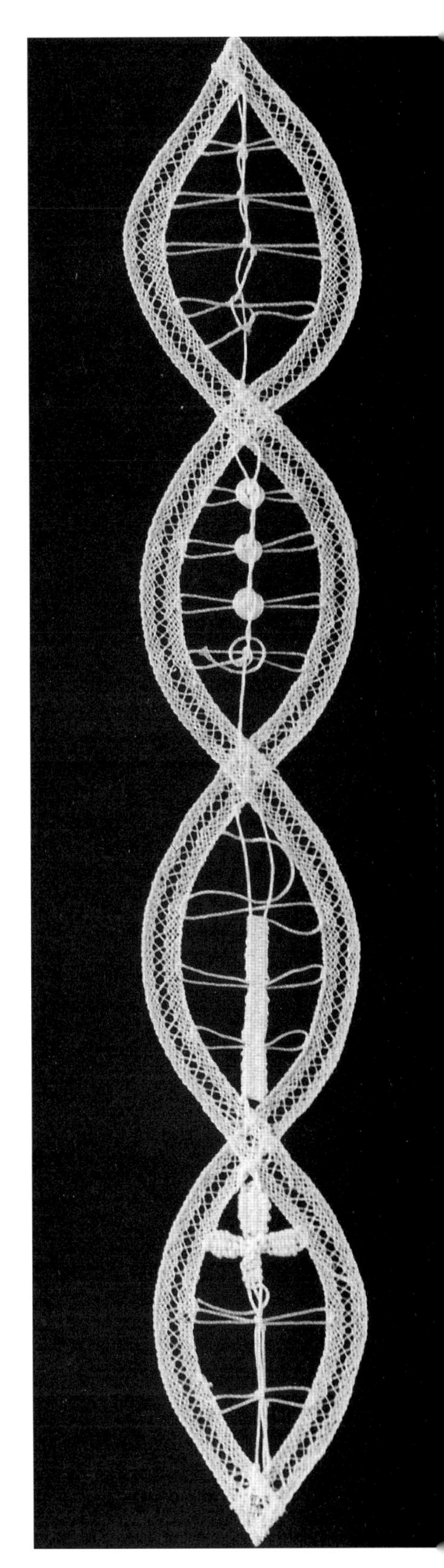

Bars

Brides
Stäbchen

112, 113 *whipped over one or several threads*
112, 113 *un ou plusieurs fils surjetés*
112, 113 *umwickelt mit einem oder mehreren Fäden*

114 *branching*
114 *ramifié*
114 *verzweigt*

115, 116 *several threads overcast*
115, 116 *plusieurs fils cordonnés*
115, 116 *verschiedene Fäden kordonniert*

117, 118 *woven over several threads*
117, 118 *tissé entre plusieurs fils*
117, 118 *über verschiedene Fäden gewebt*

119 *buttonholed over three threads*
119 *festonné par-dessus trois fils*
119 *festonniert über drei Fäden*

120 *crossed (see st. 119)*
120 *croisé (voir pt. 119)*
120 *gekreuzt (siehe St. 119)*

121 *buttonholed on either side*
121 *festonné des deux côtés*
121 *beidseitig festonniert*

122 *work as st. 121 with Ardenza st.*
122 *comme pt. 121 au pt. d'Ardenza*
122 *wie St. 121 mit Ardenza St.*

123 *combination of st. 119 and 43*
123 *combinaison de pt. 119 et 43*
123 *Kombination von St. 119 und 43*

124, 125 *knotted (see also page 123)*
124, 125 *noué (voir la page 123)*
124, 125 *geknüpft (siehe Seite 123)*

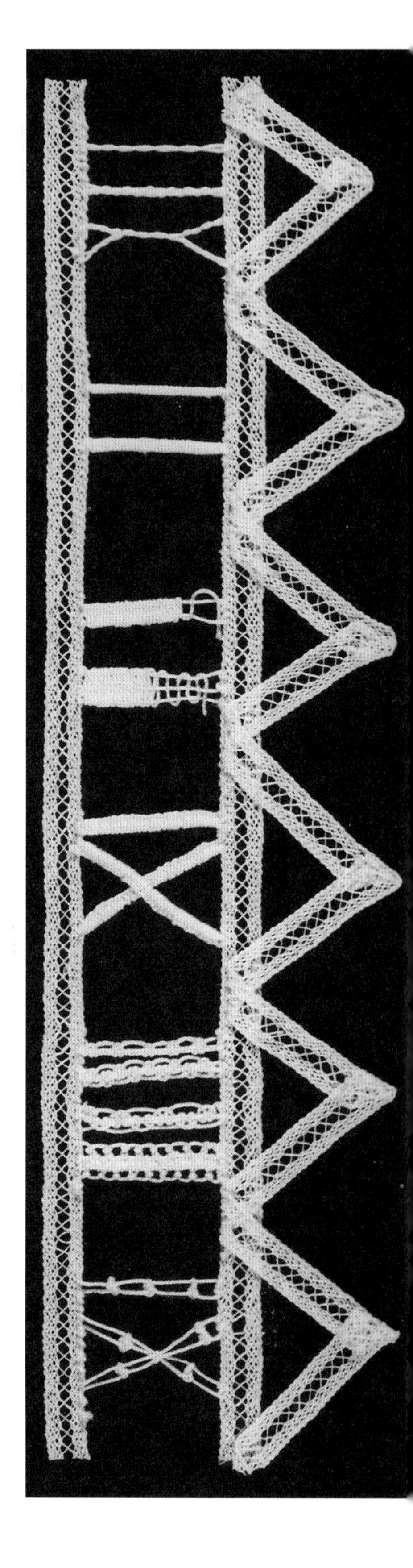

Insertions

Entre-deux
Einsätze

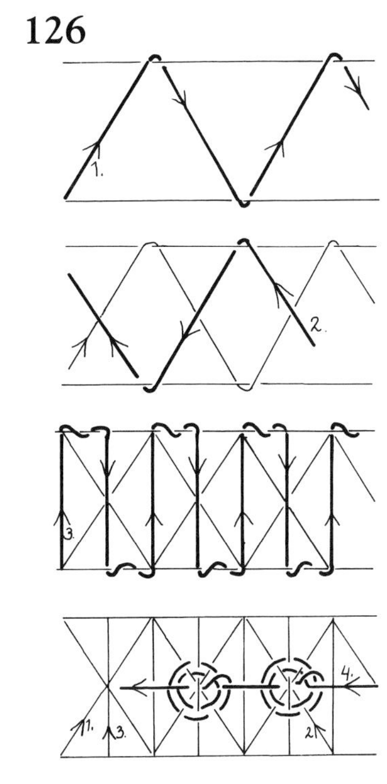

126 *the four steps*
126 *les quatre étapes*
126 *die vier Arbeitsgänge*

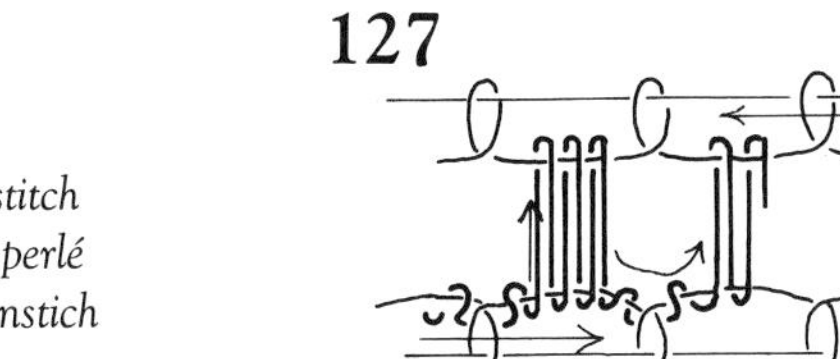

127 *variation on pearl stitch*
127 *variation sur point perlé*
127 *Variation auf Perlenstich*

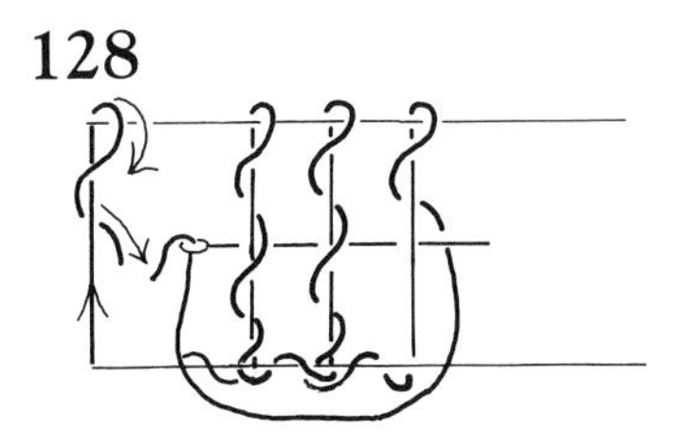

128 *wheat shafts*
128 *faisceaux*
128 *Bündel*

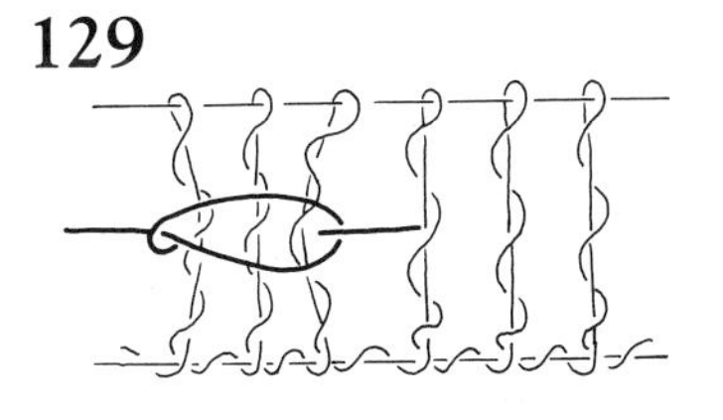

129 *as st. 128 but connected with a knotstitch*
129 *comme pt. 128 mais réunis par un pt. noué*
129 *wie St. 127 aber verbunden mit einem Knotenstich*

Pearls or Wheels

Perles ou anneaux
Perlen oder Ringe/Räder

130

130 *wheels*
130 *anneaux*
130 *Ringe*

131

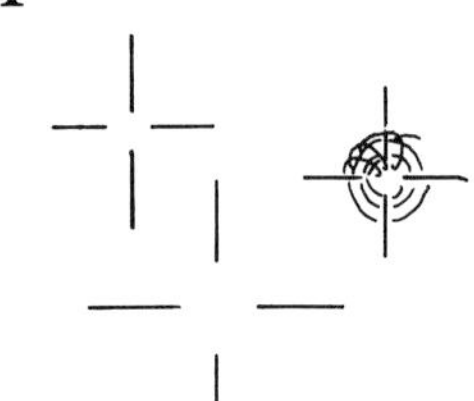

131 *pearls*
131 *perles*
131 *Perlen*

132

132 *combination of st. 130, 136 and 132 (a bh. loop)*
132 *combinaison de pt. 130, 136 et 132 (un picot festonné)*
132 *Kombination von St. 130, 136 und 132 (ein Bogenpikot)*

133

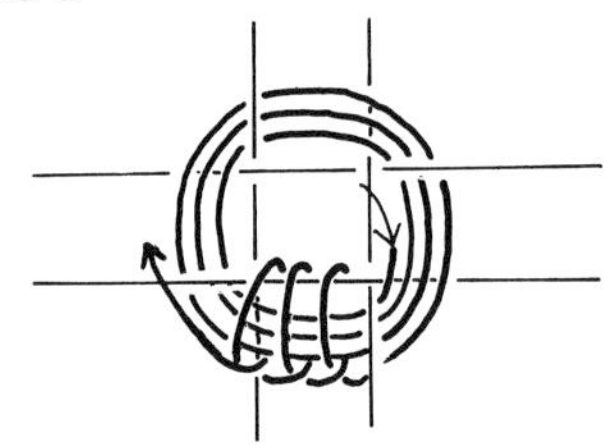

133 *on corded threads*
133 *sur fils tendus*
133 *auf gespannten Fäden*

134

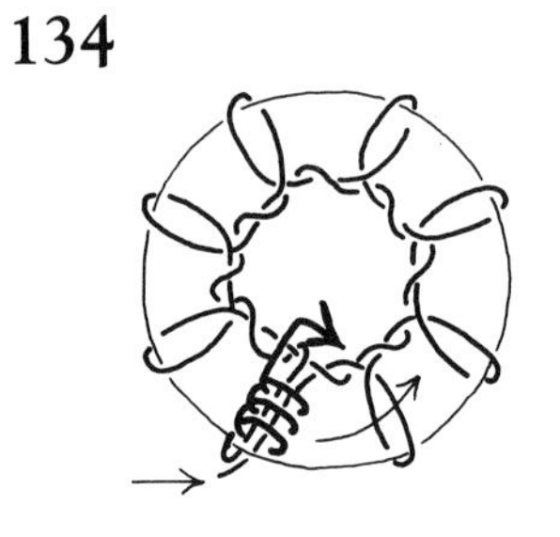

134 *a single wheel*
134 *une roue solitaire*
134 *ein einzelnes Rad*

135

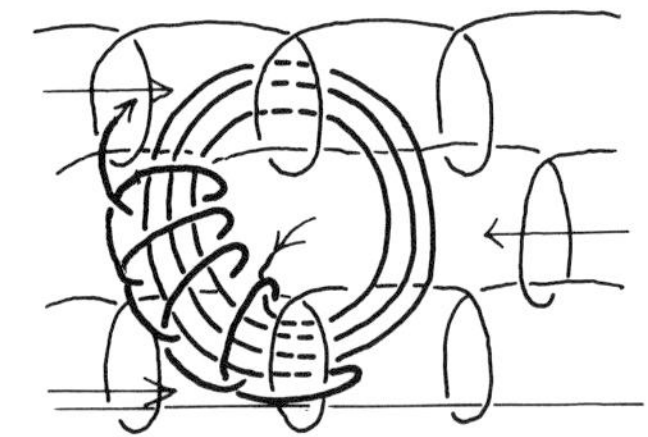

135 *on a ground of detached bh.s*
135 *sur un fond de pt.f détachés*
135 *auf einem Grund mit getrennten Sch.s*

Picots

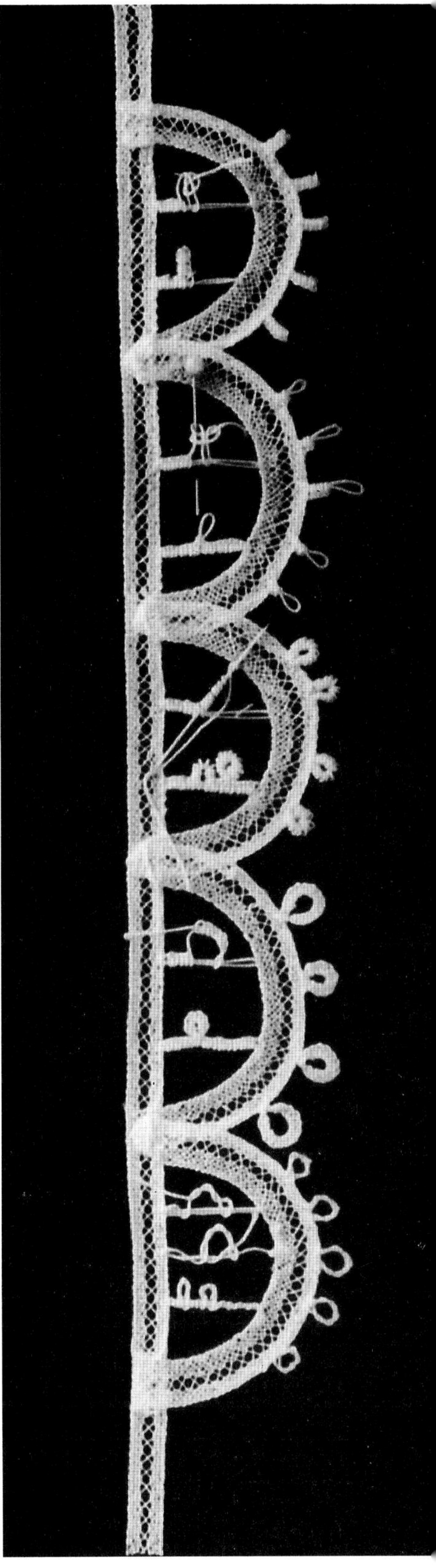

136

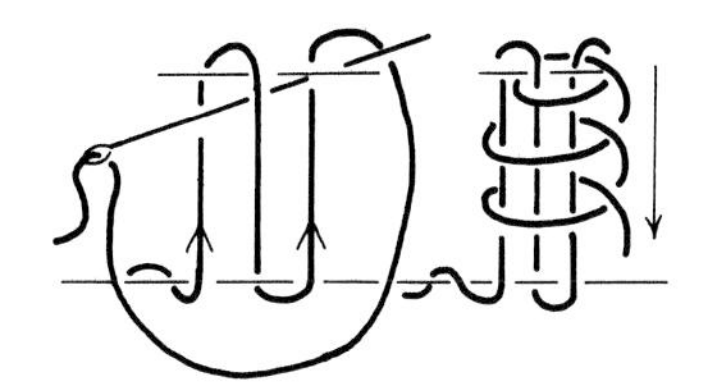

136 Venetian
136 de Venise
136 Venezianer

137

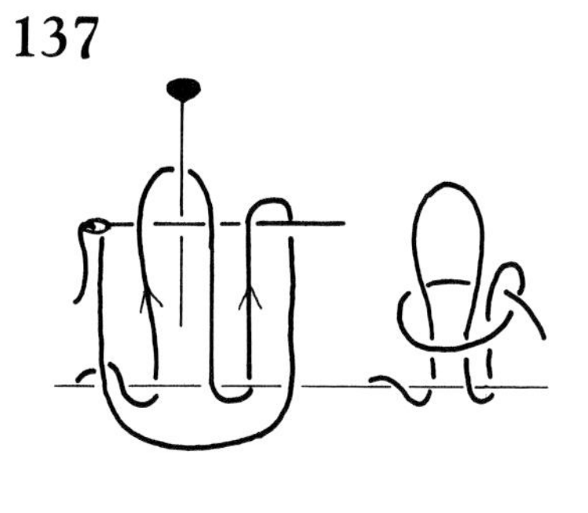

137 loop
137 épinglé
137 gesteckt

138

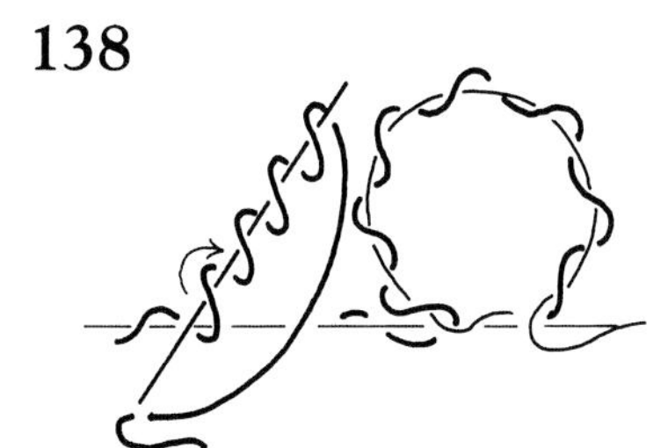

138 Bullion
138 au point de Poste
138 Wickel

139

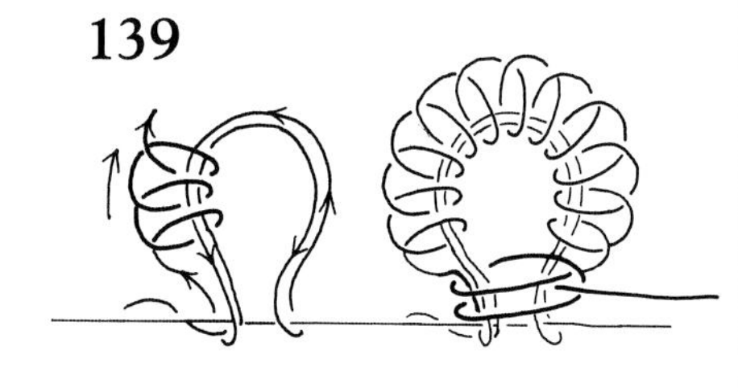

139 the Branscombe picot
139 le picot de Branscombe
139 der Branscombe Picot

140

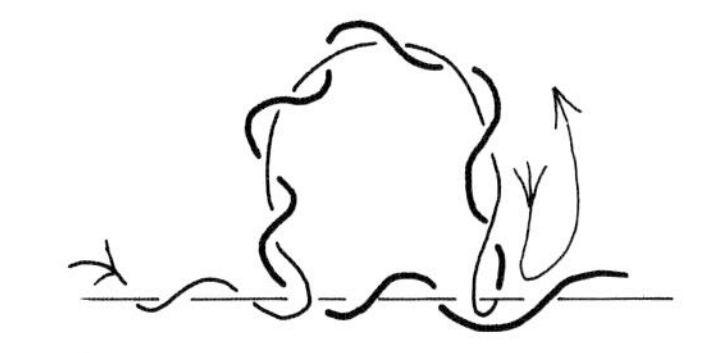

140 whipped
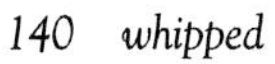
140 au point de surjet
140 umwickelt

Bibliography

Dillmont, Thérèse de, *Encyclopedia of Needlework*, Mulhouse, Alsace, 1900

Earnshaw, Pat, *Needlemade Laces*, London, Ward Lock, 1988

Groves, Edna, *A New Approach to Embroidered Net*, London, Dryad Press, 1987

Hills, Ros and Gibson, Pat, *Needlelace Stitches*, London, Batsford, 1989

Palliser, Bury, *A History of Lace* (revised by M. Jourdain and Alice Dryden), New York, Dover Publications Inc, 1984

Preston, Doris Campbell, *Needle-made Laces and Net Embroideries*, New York, Dover Publications Inc, 1938

Read, Patricia and Kincaid, Lucy, *Milanese Lace*, London, Batsford, 1988 —, *More Milanese Lace*, London, Batsford, 1994

Trivett, Lillie D., *The Technique of Branscombe Point Lace*, London, Batsford, 1991

Wardle, Patricia, *Victorian Lace* (second edition), Bedford, Ruth Bean Carlton, 1982

Bibliographie

Dillmont, Thérèse de, *Encyclopédia des ouvrages de dames* (présentation de Monique Pivot), Paris, Aubin Imprimeur, 1989

Les Dentelles de Luxeuil (archives des ateliers de création Danon, Daval et More-Charton), Mairie de Luxeuil, 1980

Crochet Dentelle, Paris, Sélection du Readers' Digest, 1982

La Dentelle Renaissance, Paris, Manufacture parisienne des fils et cotons

Bibliographie

Dillmont, Thérèse de, *Der Handarbeiten*, Ravensburg, Otto Maier Verlag, 1983

Nolte, Christa, *Genähte Spitze: Freude bei der Arbeit mit Nadel und Faden*, Leipzig, 1988

Sources of Information

UNITED KINGDOM

The Lace Guild
The Hollies
53 Audnam
Stourbridge
West Midlands DY8 4AE

The Lacemakers' Circle
49 Wardwick
Derby DE1 1HY

The Lace Society
Linwood
Stratford Road
Oversley
Alcester
War BY9 6PG

The British College of Lace
21 Hillmorton Road
Rugby
War CV22 5DF

Ring of Tatters
Miss B. Netherwood
269 Oregon Way
Chaddesden
Derby DE2 6UR

United Kingdom Director of International Old Lacers
S. Hurst
4 Dollis Road
London N3 1RG

OIDFA
(International Bobbin and Needle Lace Organization)

Kathy Kauffmann (President)
1301 Greenwood
Wilmette
Illinois 60091
USA

Hilary Booth (Vice President)
39 Craigweil Avenue
Radlett
Herts WD7 7ET Juk

BELGIQUE

OIDFA/Belgische Kantorganisatie
Lydia Thiels-Mertens
Jagersberg 1
B-3294 Molenstede-Diest

FRANCE

OIDFA
Suzanne Puech
3 Chemin de Parenty
F-69250 Neuville sur Saône

Conservatoire de la dentelle de Luxeuil-les-Bains
Le Thiavaux
Maison des Arts et Loisirs
Boite Postale 77
Rue de Thermes
Lexeuil-les-Bains

DEUTSCHLAND

OIDFA
Uta Ulrich
Papenbergweg 33
D-4930 Detmold

Deutscher Klöppelverband e.V.
Ortolanweg 7
D-1000 Berlin 47

NEDERLANDS

OIDFA
Puck Smelter-Hoekstra
Corona 68
NL-3204 CM Spijkenisse

LOKK
Boterbloem 56
NL-7322 GX Apeldoorn

SUISSE

FDS
(Fédération de Dentellières Suisses)
Evelyne Lütolf
Buhnstrasse 12
CH-8052 Zürich

USA

OIDFA
Kathy Kauffmann
1301 Greenwood
Wilmette
Illinois 60091

International Old Lacers
124 West Irvington Place
Denver
CO 80223–1539

Lace & Crafts magazine
3201 East Lakeshore Drive
Tallahassee
FL 32312-2034

Equipment Suppliers

UNITED KINGDOM

BEDFORDSHIRE
A. Sells
49 Pedley Lane
Clifton
Shefford SG17 5QT

BERKSHIRE
Chrisken Bobbins
26 Cedar Drive
Kingsclere RG15 8TD

BUCKINGHAMSHIRE
J. S. Sear
Lacecraft Supplies
8 Hillview
Sherington MK16 9NJ

Winslow Bobbins
70 Magpie Way
Winslow MK18 3PZ

SMP
4 Garners Close
Chalfont St Peter SL9 0HB

CAMBRIDGESHIRE
Josie and Jeff Harrison
Walnut Cottage
Winwick
Huntingdon PE17 5PP

Heffers Graphic Shop
(*matt coloured transparent adhesive film*)
26 King Street
Cambridge CB1 1LN

Spangles
Carole Morris
Cashburn Lane
Burwell CB5 0ED

CHESHIRE
Lynn Turner
Church Meadow Crafts
7 Woodford Road
Winsford

DEVON
Honiton Lace Shop
44 High Street
Honiton EX14 8PJ

DORSET
Frank Herring & Sons
27 High West Street
Dorchester DT1 1UP

T. Parker
(*mail order, general and bobbins*)
124 Corhampton Road
Boscombe East
Bournemouth BH6 5NZ

ESSEX
Needlework
Ann Bartleet
Bucklers Farm
Coggeshall CO6 1SB

GLOUCESTERSHIRE
T. Brown (*bobbins*)
Temple Lane Cottage
Littledean
Cinderford

Chosen Crafts Centre
46 Winchcombe Street
Cheltenham GL52 2ND

HAMPSHIRE
Needlestyle
24–26 West Street
Alresford

Richard Viney (*bobbins*)
Unit 7
Port Royal Street
Southsea PO5 3UD

ISLE OF WIGHT
Busy Bobbins
Unit 7
Scarrots Lane
Newport
PO30 1JD

KENT
The Handicraft Shop
47 Northgate
Canterbury CT1 1BE

Denis Hornsby
25 Manwood Avenue
Canterbury CT2 7AH

Francis Iles
73 High Street
Rochester ME1 1LX

LANCASHIRE
Malcolm J. Fielding (*bobbins*)
2 Northern Terrace
Moss Lane
Silverdale LA5 0ST

LINCOLNSHIRE
Ken and Pat Schultz
Whynacres
Shepeau Stow
Whaplode Drove
Spalding PE12 0TU

MERSEYSIDE
Hayes & Finch
Head Office & Factory
Hanson Road
Aintree
Liverpool L9 9BP

MIDDLESEX
Redburn Crafts
Squires Garden Centre
Halliford Road
Upper Halliford
Shepperton TW17 8RU

NORFOLK
Stitches and Lace
Alby Craft Centre
Cromer Road
Alby
Norwich NR11 7QE

Jane's Pincushions
Taverham Craft Unit 4
Taverham Nursery Centre
Fir Covert Road
Taverham
Norwich NR8 6HT

George Walker
The Corner Shop
Rickinghall, Diss

NORTH HUMBERSIDE
Teazle Embroideries
35 Boothferry Road
Hull

NORTH YORKSHIRE
The Craft House
23 Bar Street
Scarborough

Shireburn Lace
Finkle Court
Finkle Hill
Sherburn in Elmet LS25 6EB

Stitchery
Finkle Street
Richmond

SOUTH YORKSHIRE
D. H. Shaw
47 Lamor Crescent
Thrushcroft
Rotherham S66 9QD

STAFFORDSHIRE
J. & J. Ford (*mail order and lace days only*)
October Hill
Upper Way
Upper Longdon
Rugeley WS15 1QB

SUFFOLK
A. R. Archer (*bobbins*)
The Poplars
Shetland
near Stowmarket IP14 3DE

Mary Collins (*linen by the metre, and made up articles of church linen*)
Church Furnishings
St Andrews Hall
Humber Doucy Lane
Ipswich IP4 3BP

E. & J. Piper (*silk embroidery and lace thread*)
Silverlea
Flax Lane
Glemsford CO10 7RS

SURREY
Needle and Thread
80 High Street
Horsell
Working GU21 4SZ

Needlestyle
5 The Woolmead
Farnham GU9 7TX

SUSSEX
Southern Handicrafts
20 Kensington Gardens
Brighton BN1 4AC

WARWICKSHIRE
Christine & David Springett
21 Hillmorton Road
Rugby CV22 5DF

WEST MIDLANDS
Framecraft
83 Hampstead Road
Handsworth Wood
Birmingham B2 1JA

The Needlewoman
21 Needles Alley
off New Street
Birmingham B2 5AE

Stitches
Dovehouse Shopping Parade
Warwick Road
Olton, Solihull

WEST YORKSHIRE
Jo Firth
Lace Marketing & Needlecraft Supplies
58 Kent Crescent
Lowtown
Pudsey LS28 9EB

Just Lace
Lacemaker Supplies
14 Ashwood Gardens
Gildersome
Leeds LS27 7AS

Sebalace
Waterloo Mills
Howden Road
Silsden BD20 0HA

George White Lacemaking Supplies
40 Heath Drive
Boston Spa LS23 6PB

WILTSHIRE
Doreen Campbell (*frames and mounts*)
Highcliff
Bremilham Road
Malmesbury SN16 0DQ

SCOTLAND

Christine Riley
53 Barclay Street
Stonehaven
Kincardineshire

Peter & Beverley Scarlett
Strupak
Hill Head
Cold Wells, Ellon
Grampian

WALES

Bryncraft Bobbins
B. J. Phillips
Pantglas
Cellan
Lampeter
Dyfed SA48 8JD

Hilkar Lace Suppliers
33 Mysydd Road
Landore
Swansea

AUSTRALIA

***Australian Lace* magazine**
P.O. Box 609
Manly
NSW 2095

Dentelles Lace Supplies
c/o Betty Franks
39 Lang Terrace
Northgate 4013
Brisbane
Queensland

The Lacemaker
724a Riversdale Road
Camberwell
Victoria 3124

Spindle and Loom
83 Longueville Road
Lane Cove
NSW 2066

Tulis Crafts
201 Avoca Street
Randwick
NSW 2031

BELGIQUE

Michel Deleenheer
Jozef Meganckstraat 24
9300 Aalst

't Handwerkhuisje
Katelijnestraat 23
8000 Bruges

Kantcentrum
Balstraat 14
8000 Bruges

Manufacture Belge de Dentelle
6 Galerie de la Reine
Galeries Royales St Hubert
1000 Bruxelles

Orchidé
Mariastraat 18
8000 Bruges

Ann Thys
't Apostelientje
Balstraat 11
8000 Bruges

BRAZIL

Jaqueline and Carlos Alberto Renaissance
Av. Eng. Domingo Fereira 3322
CEP 51020 Recife

FRANCE

Centre d'Enseignement à la Dentelle du Puy
2 Rue Duguesclin
43000 Le Puy en Velay

A L'Econome
Anne-Marie Deydier
Ecole de Dentelle aux Fuseaux
10 rue Paul Chenavard
69001 Paris

Rougier and Plé
13–15 Bd des Filles de Calvaire
75003 L/on

DEUTSCHLAND

Barbara Fay
Verlag & Versandbuchhandlung
Am Goosberg 2
D-W 2330 Gammelby

P. P. Hempel
Ortolanweg 34
1000 Berlin

NEDERLANDS

Blokker's Boektiek
Bronsteeweg 4/4a
2101 AC Heemstede

Theo Brejaart
Dordtselaan 146–148
PO Box 5199
3008 AD Rotterdam

Heikina de Rüyter
Zuiderstraat 1
9693 ER Nieweschans

Magazijn *De Vlijt*
Lijnmarkt 48
Utrecht

SUISSE

Buchhandlung
Dr A. Scheidegger & Co. AG
Obere Bahnhofstr. 10A
CH-8901 Affoltern a.A.

Martin Burkhard
Klöppelzubehör
Jurastrasse 7
CH-5300 Turgi

Fadehax
Inh. Irene Solca
4105 Biel-Benken
Basel

NEW ZEALAND

Peter McLeavey
P.O. Box 69.007
Auckland 8

USA

Arbor House
22 Arbor Lane
Roslyn Heights
NY 11577

Baltazor Inc.
3262 Severn Avenue
Metairie
LA 7002

Beggars' Lace
P.O. Box 481223
Denver
Colo 80248

Berga Ullman Inc.
P.O. Box 918
North Adams
MA 01247

Happy Hands
3007 S. W. Marshall
Pendleton
Oreg 97180

International Old Lacers Inc
124 West Irvington Place
Denver
CO 80223–1539

The Lacemaker
23732-G Bothell Hwy, SE
Bothell
WA 98021

Lace Place de Belgique
800 S. W. 17th Street
Boca Raton
FL 33432

Lacis
3163 Adeline Street
Berkeley
CA 94703

Robin's Bobbins
RT1 Box 1736
Mineral Bluff
GA 30559-9736

Robin and Russ
Handweavers
533 North Adams Street
McMinnville
Oreg 97128

The Unique And Art Lace Cleaners
5926 Delman Boulevard
St Louis
MO 63112

Unicorn Books
Glimarka Looms 'n Yarns Inc.
1304 Scott Street
Petaluma
CA 94954-1181

Van Sciver Bobbin Lace
130 Cascadilla Park
Ithaca
NY 14850

The World in Stitches
82 South Street
Milford
N.H. 03055

Index

Index